D0271754

• • • • LEKKER KNUSSE • • • •
sjaals breien

LEKKER KNUSSE
sjaals breien

Candi Jensen

DELTAS

Inhoud

Gewoon breien

Het breien van een sjaal is met geen enkel ander breiwerk te vergelijken: je hebt hem in een mum van tijd gemaakt en je hebt er enorm veel plezier van. Sjaals zijn supereenvoudig om te breien, ze hebben namelijk geen (speciale) vorm en je kunt je helemaal uitleven in garens in allerlei weefselstructuren, patronen en kleuren. Een sjaal houdt je lekker warm, is puur comfortabel of eerder elegant en glanzend. Een sjaal is ook een perfect cadeautje voor een geliefde of je kunt er jezelf mee verwennen. Sjaals zijn helemaal 'in' en ze vormen de perfecte accessoire bij elke outfit. Je kunt een sjaal zelfs dragen als het niet koud is. Een sjaal is een prima manier om je persoonlijkheid te benadrukken en iets geks te doen,

of je een sjaal nu op een jas draagt of gewoon als afwerken touch bij je feestjurk. Koop dus dat garen dat je al heel lang op het oog had of gebruik restgaren en brei er een mooie sjaal van. De meeste sjaals heb je in een paar uurtjes gemaakt, er zijn geen weken voor nodig. Denk aan alle lof en complimentjes die je zult krijgen als je de prachtige sjaal laat zien die je net af hebt. Niemand hoeft te weten dat je hem in de bus hebt zitten breien, op weg naar je werk en terug.

Vergeet ook je kinderen niet. De sjaals in dit boek zijn lang genoeg voor een volwassene om te dragen, maar je kunt ze allemaal inkorten tot een lengte die geschikt is voor kinderen. Kinderen vinden een warme sjaal heerlijk. Misschien is er

wel een klein meisje in jouw omgeving dat graag een bontgekleurde sjaal wil om mee te pronken.

Of je nou een beginnende of ervaren breister bent, de patronen en creatieve ideeën in dit boek zijn leuk om te maken. Bovendien geeft het boek advies waar nodig. Zo kun je de perfecte sjaal op maat maken voor jezelf of voor een speciaal iemand die je wilt verrassen. In één van de hoofdstukken vind je ideeën om je eigen sjaal te ontwerpen. Ik hoop dat ze je ertoe aanzetten om nieuwe, leuke garens en kleuren uit te proberen. Je zult ervan versteld staan hoe eenvoudig dat is!

Garen, garen en nog eens garen

Garen met bobbels, harig of zacht garen, soms is het garen bepalend voor het eindresultaat. Tegenwoordig heb je een enorme keuze in garens, die je bijna allemaal kunt gebruiken om een sjaal mee te breien. In tegenstelling tot een kledingstuk dat je in een bepaalde maat en vorm moet breien, is een sjaal gewoon een rechthoek, met daarop een paar varianten. Je bent vrij om je helemaal uit te leven met het meest 'gedroomde' garen.

Afhankelijk van het patroon kun je kiezen voor de gekste garens. Dik garen, dun garen, of garen van een gemiddelde dikte: gebruik eens een paar garens door elkaar en creëer je eigen effecten. Combineer bijvoorbeeld eens een dun, glanzend garen met een bobbeltjesgaren, of een mohairgaren in één kleur met een garen in verschillende kleuren. Oefen eerst met de patronen op de blz. 20 en 24; experimenteer en varieer vervolgens met nieuw garen.

Als je op zoek gaat naar een bepaald garen, denk dan aan de persoon voor wie je de sjaal wilt breien, of je dat nu zelf bent of iemand anders. Garens voelen allemaal anders aan. Als

je een gewone sjaal aan het maken bent voor om je hals, houd het garen dan tegen je huid en voel of het niet te veel kriebelt. Bij een kleine glanzende sjaal die je als sieraad wilt dragen, doet het materiaal er misschien niet zoveel toe.

Zorg er ook voor dat je voldoende garen koopt. De kleur van garen wisselt namelijk nogal eens door bijvoorbeeld een ander verfbad bij de productie in de fabriek; daardoor zou je sjaal ineens een hele andere tint krijgen. Alhoewel dit wat minder snel geldt voor al dat prachtige garen in meerdere kleuren, is het toch een goed idee om ook daarvan wat meer in te slaan. Als je je op een regenachtige avond op de bank hebt geïnstalleerd om te gaan breien, met een oude film op televisie en chocolaatjes bij de hand, is er niets zo erg als halverwege de film en voordat de chocola op is tot de ontdekking te komen dat je geen garen meer hebt. Bovendien kun je ongebruikte bollen garen meestal terugbrengen naar de handwerkzaak en als je dan toch in de winkel bent, kun je meteen van de gelegenheid gebruik maken om nieuw garen in te slaan voor je volgende sjaal.

Waar je ook aan moet denken, is dat leveranciers soms stoppen met de productie van bepaalde soorten wol of bepaalde kleuren. Het is mogelijk dat sommige van de garens in dit boek niet meer verkrijgbaar zijn op het moment dat je dit boek aan het lezen bent. We hebben geprobeerd garens te gebruiken die voorlopig nog ruim leverbaar zijn, maar uiteindelijk hebben wij daar niet de hand in.

Als het garen dat bij een bepaalde sjaal wordt aangegeven, niet meer verkrijgbaar is, kun je contact opnemen met de fabrikant of de handwerkzaak en vragen of deze een vervangend garen kunnen aanbevelen.

WAT ZIT ER IN JE BREITAS?

Je hoeft het benodigde materiaal niet in één keer te kopen. Het is wel zo handig om een breitas te hebben die is voorzien van alles wat je nodig hebt. Hier volgt een beschrijving van het materiaal dat je in ieder geval nodig hebt om de sjaals in dit boek te breien:

- **Rechte breinaalden en rondbreinaalden (voor breien in de lengte)**
- **Haaknaalden van diverse grootte voor het ophalen van gevallen steken en het afwerken van bepaalde randen**
- **Liniaal van 15 cm met naalddiameter (een aantal gaatjes van verschillende diameters om de naalddikte te meten)**
- **Intrekbaar meetlint**
- **Rubberen stoppen of kleine kurken om de uiteinden van de naalden te beschermen**

Sommige garens gaan niet goed samen

Let bij je keuze van garens voor dezelfde sjaal op de wasinstructies. Acrylgaren kan bijvoorbeeld wel in de droger, maar mohairgaren niet. Gebruik ze dan ook niet voor de dezelfde sjaal, want dat geeft zeker problemen. Kijk op de garenlabels voor de wasinstructies, om te zien of je bepaalde garens met elkaar kunt combineren.

en te voorkomen dat de steken van de naald vallen als je niet aan het breien bent
- Verschillende stopnaalden met stompe punt
- T-vormige spelden
- Scherp schaartje
- Markeerringen, rond en gespleten
- Stickertjes om aan te geven waar je gebleven bent in het patroon
- Kabelnaalden
- Een mooie breitas!

De basis

Als je voor het eerst gaat breien, komt de volgende passage goed van pas. Voor de ervaren breisters is het altijd goed om deze bij de hand te hebben als ze bepaalde zaken nog eens willen nalezen. Dit boek is niet geschreven om je te leren breien en ik ga er dan ook niet uitgebreid op in, maar je vindt hier voldoende informatie om je geheugen wat op te frissen.

NAALDEN

Naalden zijn verkrijgbaar in hout, plastic of metaal. De meeste breisters hebben een voorkeur voor een bepaald type naald. Misschien kies je wel een andere naald voor elk breiwerk dat je wilt maken. Ik werk het liefst met bamboe naalden, maar ik heb gemerkt dat je voor mohair- en andere garens beter metalen naalden kunt gebruiken. Experimenteer en kijk welke naalden jouw voorkeur hebben.

Voor de meeste sjaalpatronen in dit boek en voor sjaals in het algemeen voldoet een paar gewone naalden uitstekend. Als je een sjaal in de lengte breit in plaats van in de breedte (zie voorbeeld op blz. 46), zul je merken dat je het beste een rondbreinaald kunt gebruiken. Rondbreinaalden zijn een paar korte rechte naalden die met een beweegbaar nylon of plastic middenstuk in verschillende lengtes aan elkaar zijn vastgemaakt. Als je met een groot aantal steken werkt, kun je net als bij een gewoon paar rechte naalden heen- en terugbreien op deze naalden. Rondbreinaalden worden ook gebruikt als je 'in het rond' breit om een 'naadloze buis' te maken. Geen van de sjaals in dit boek is echter rond gebreid.

Maten van breinaalden

Breinaalden zijn genummerd volgens hun doorsnede en zijn verkrijgbaar in meerdere lengtes.

Dikte van breinaalden

2	mm	5	mm
2,25	mm	5,5	mm
2,5	mm	6	mm
2,75	mm	6,5	mm
3	mm	7	mm
3,25	mm	7,5	mm
3,5	mm	8	mm
3,75	mm	9	mm
4	mm	10	mm
4,5	mm		

BREITAAL

De breitaal is een moeilijke taal om te leren. Maar als je de afkortingen eenmaal onder de knie hebt, wordt het een tweede natuur. Toch is het handig om, zelfs al ben je een breister met jarenlange ervaring, een kaartje bij de hand te hebben met daarop de belangrijkste afkortingen. Ook ik gebruik zo'n kaartje, meer dan je misschien zou verwachten.

a.k.	andere kleur
meerd.	meerderen
r.	recht
2r.st.s.	2 rechte steken samen breien
1s. meerd.	1 steek meerderen
hk.	hoofdkleur
a.	averecht
2a.st.s.	2 averechte steken samen breien
ov.	1 afgehaalde steek over rechte steek halen
2af.st.s.	2 afgehaalde steken samen breien
st.	ste(e)k(en)
d.om.	draad omslaan

STEKENVERHOUDING IS ESSENTIEEL

Het is je misschien al honderden keren gezegd, maar ook ik kan dit niet genoeg benadrukken: controleer altijd eerst de stekenverhouding voordat je met een breiwerk begint. Dit is de basis voor je patronen. Als de stekenverhouding niet overeenkomt met die van je proeflapje, komt je breiwerk in lengte en breedte niet overeen met het patroon.

Misschien denk je nu dat dit bij een sjaal niet zo belangrijk is, maar geloof me, dat is het wel. Natuurlijk is het niet zo belangrijk als bij een trui of een vest. Maar stel je eens voor dat je klaar bent met breien en je sjaal is groot genoeg voor een olifant of, net zo erg, klein genoeg voor een pop. Gewoon dat proeflapje maken dus!

Je maakt een proeflapje altijd over een breedte van 10 centimeter, of groter als je een bepaalde kleur of een bepaald patroon moet herhalen. Brei het altijd in de aangegeven patroonsteek of -steken. Als in de afmetingen van het proeflapje bijvoorbeeld staat aangegeven dat je 4,5 steken per 2,5 centimeter moet gebruiken, is het gemakkelijker om in plaats daarvan 18 steken per 10 centimeter te tellen. De stekenverhouding meet je als volgt:

1. Kijk vooraan in het patroon op hoeveel steken per 10 centimeter je moet uitkomen. Stel dat bij het proeflapje staat: 16 steken met naald 7 = 10 centimeter. Je zet dan 20 steken op met naald 7 (d.w.z. 16 steken plus een paar steken voor de rand om nauwkeurigere afmetingen te bekomen). Vervolgens brei je ongeveer 12,5 centimeter in de aangegeven patroonsteek (bovenaan en onderaan maak je het ietsje langer) en kant je de steken af. Je hoeft het proeflapje niet te persen.

2. Leg het proeflapje zonder het te rekken op een platte, stevige ondergrond. Leg er horizontaal een liniaal overheen, op ongeveer een centimeter van de rand. Tel het aantal steken binnen 10 centimeter.

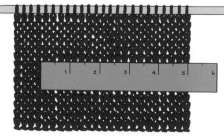

Stekenverhouding opmeten

Regelmatig controleren

Ook al heeft je proeflapje de juiste afmetingen, dan is het toch goed om regelmatig de stekenverhouding te controleren. Als je wat verder bent met je breiwerk, ga je vaak wat strakker of losser breien.

3. *Als je meer dan* 16 steken binnen 10 centimeter hebt, gebruik dan een dikkere breinaald en herhaal stap 1 en 2. *Heb je minder dan* 16 steken, gebruik dan een dunnere breinaald en herhaal beide stappen. Gebruik altijd nieuw garen om een proeflapje te maken. Gebruikt garen is namelijk meestal al wat uitgerekt en geeft niet de juiste afmeting.

Steken opzetten

Toen ik op mijn achtste voor het eerst leerde breien, maakte ik gewoon lussen op een naald en stak de andere naald erin. Als je dit zelf ook nog op deze manier doet, kan ik je meegeven

dat er een veel betere methode bestaat om steken op te zetten. Als je steken op deze manier opzet, krijg je een mooie, stevige en niet te strakke rand, veel beter dan met lussen.

1. Kijk hoe lang de lengte van de losse draad ongeveer moet zijn door de draad een keer om de naald te slaan voor elke opzetsteek die je nodig hebt. Voeg daar vervolgens nog wat centimeters aan toe. Maak nu een slipsteek en schuif de lus over de breinaald. Houd de naald in je rechterhand vast; houd het uiteinde van de losse draad en het werkgaren in je linkerhand op de manier zoals afgebeeld in de illustratie. Steek de naald door de voorste lus van het uiteinde op je duim. Verplaats de punt van de naald steeds over en achter het werkgaren op je vinger.

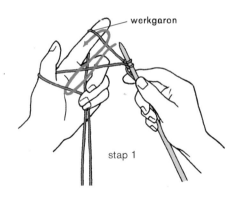

werkgaron

stap 1

2. Trek het werkgaren met de naald door de lus op je duim.

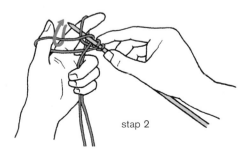

stap 2

3. Laat de lus op je duim los, plaats je duim onder het uiteinde en trek beide draden strakker terwijl je ze stevig tegen de palm van je hand drukt.

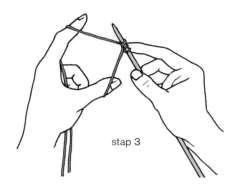

stap 3

Afkanten

Afkanten is eigenlijk gewoon steken afhalen. Het is altijd een prettig moment als je op dit punt bent aangekomen, want het betekent meestal dat je bijna klaar bent. Let erop dat je niet te strak afkant (tenzij dit wordt aangegeven in het patroon), want dan ziet het einde van de sjaal er anders uit dan het begin, meer samenge-trokken. Heb je de neiging iets te strak af te kanten, gebruik dan een dikkere breinaald.

Om af te kanten, haal je de ene steek door de andere en laat je deze vallen. Herhaal dit tot aan het einde van de naald. Als er nog 1 steek op

Afkanten

de naald zit, knip je de draad door op een lengte van ongeveer 25 centimeter. Vervolgens haal je de draad door de laatste steek en trek je deze stevig aan. Dan steek je de losse draad door een stopnaald en stop je de draad zo netjes mogelijk terug in je breiwerk langs de steken van de toer.

Een andere kleur meenemen

Een sjaal in verschillende kleuren breien is wat moeilijker. Laat me je eerst iets vertellen over hoe je een andere kleur moet meenemen.

In dit boek staat de kleurvolgorde van de patronen weergegeven in diagrammen. De kleuren in de diagrammen komen overeen met die in de foto's van de sjaals. Voor recht breien begin je onderaan in het diagram en lees je van rechts naar links, voor averecht breien lees je van links naar rechts. Als geheugensteuntje hebben we met een pijltje het beginpunt aangegeven. Mocht je een ander kleurenschema gebruiken dan het schema in het boek, dan is het misschien handig om een stukje wol in de juiste kleur op de diverse plaatsen te plakken zodat je je niet vergist.

Als je met meer kleuren breit, moet je de kleuren die je niet gebruikt aan de verkeerde kant van het werk meenemen totdat je ze weer nodig hebt. Zorg dat de draad van het garen dat je meeneemt, los genoeg is opdat het breiwerk niet samentrekt. Bij een sjaal kan dat best een uitdaging zijn. Immers, de achterkant van een sjaal is straks ook zichtbaar. Normaal gesproken neem je de draad dan hooguit 3 steken mee, maar bij een sjaal kun je de draad beter hooguit 2 steken meenemen. Dat ziet er mooier uit.

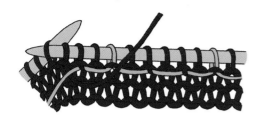

Draad in andere kleur om de twee steken mee breien

Bovendien zit je dan niet met allerlei lange lussen, die er niet alleen lelijk uitzien maar ook overal achter blijven haken.

Om de draad mee te nemen, sla je het werkgaren gewoon om de twee of drie steken van onderen af om de andere draad heen, zoals afgebeeld in de tekening.

Bij het van kleur veranderen, pak je altijd de draad van de kleur die je wilt benadrukken (zie diagram op blz. 73) van onder de andere. Aan de voorkant overheerst die kleur dan de andere kleur en dit zorgt voor een gelijkmatiger patroon. Zorg ervoor dat je in het hele breiwerk steeds dezelfde kleur van onder de andere pakt.

Houd tijdens het breien het garen in de ene kleur in de ene hand en het andere garen in de andere hand. Je zult zien dat je zo veel sneller en gemakkelijker met twee kleuren kunt breien.

Garen: jouw eigen keuze

Je kunt elk garen in dit boek vervangen door een ander garen met dezelfde stekenverhouding. Voor sommige garens zijn alternatieve garens aangegeven.

Nieuw garen aanhechten

De eenvoudigste manier is het nieuwe garen over het oude heen te leggen en de twee garens in de volgende drie of vier steken samen te breien. Vervolgens laat je het oude garen gewoon hangen en ga je verder met het nieuwe garen. Als je dan in de volgende naald bij die dubbele steken komt, brei je ze gewoon als één steek verder. Als je erg zacht garen, garen in één kleur en/of stug garen gebruikt, kan het zijn dat je zo'n samenvoeging ziet. Gebruik je erg dik garen, dan kunnen je steken aanzienlijk groter uitvallen.

Je kunt ook van het nieuwe garen een draad van zo'n 15 centimeter met het oude garen mee breien. Vervolgens knip je het oude garen af. Laat een draad van circa 15 centimeter hangen. Deze techniek lijkt een beetje op de techniek die je gebruikt om een tweede kleur mee te nemen als je met meerdere kleuren breit.

Eigen ontwerp!

Ook als beginner kun je best je eigen sjaal ontwerpen. Ik zal het zo eenvoudig en direct mogelijk proberen uit te leggen. Dus ga gewoon aan de slag en begin aan je droomsjaal!

Om te beginnen heb je twee dingen nodig: het gewenste stekenpatroon en de juiste afmetingen van de sjaal. Om te oefenen, breien we een sjaal in ribbelsteek met een breedte van 15 centimeter en een lengte van 115 centimeter. Ribbelsteek wil zeggen dat je alle naalden recht breit.

Geen paniek!

Het is helemaal niet moeilijk om een gevallen of halve steek weer op te halen. Daarom moet je altijd een haaknaald bij je hebben! Houd het breiwerk met de goede kant naar je toe. Zoek vervolgens de laatste lus die nog gebreid is en steek de haaknaald van voor naar achteren in deze lus (aan de verkeerde kant steek je de naald van achteren naar voren in de lus). Trek de lus omhoog tot net boven het horizontale dwarsdraadje van de omringende steken. Pak met de haaknaald dit draadje vast en trek het door de lus. Als je meerdere steken moet ophalen, let er dan op dat je de dwarsdraadjes in de juiste volgorde ophaalt.

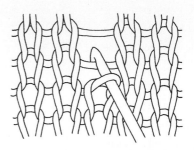

Een gevallen steek recht ophalen

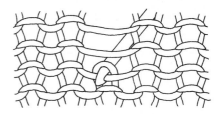

Een gevallen steek averecht ophalen

Stel, je hebt een prachtig garen gevonden. Voordat je een proeflapje maakt, controleer je altijd eerst op het label de naalddikte en de stekenverhouding die de fabrikant aanbeveelt, bijvoorbeeld: 16 steken met naald 8 = 10 cm. Maak nu volgens de instructies op blz. 10 een proeflapje in ribbelsteek en kijk op hoeveel steken je uitkomt. Ziet het proeflapje er goed uit, maar komt het aantal steken niet helemaal overeen met de stekenverhouding op het label, dan is dat niet zo erg. Vind je echter dat er te grote gaten in zitten of dat het niet dik genoeg aanvoelt, pak dan een kleinere breinaald voor een strakkere stekenverhouding. Als het te stijf aanvoelt en je denkt dat het niet soepel genoeg zal vallen, neem

dan een dikkere naald. Na wat uitproberen kom je uiteindelijk misschien toch uit op 16 steken per 10 centimeter. Volg nu de volgende stappen en je hebt een sjaalpatroon:

1. Tel het aantal steken per 2,5 centimeter door de steken per 10 centimeter te delen door 4, bijvoorbeeld 16 : 4 = 4 steken per 2,5 cm.
2. Als je sjaal 15 centimeter (6 x 2,5) moet zijn, vermenigvuldig je vervolgens het aantal steken per 2,5 cm dat je met jouw garen krijgt, met 6, dus: 6 x 4 = 24 steken in totaal voor 15 cm.
3. Zet 24 steken op. Blijf recht breien tot een lengte van 115 cm en kant de steken losjes af.

Dat was heel eenvoudig toch? Stel dat je nu een sjaal in meerdere kleuren wilt breien of volgens een bepaalde patroonsteek. Maak je proeflapje in de gewenste steek en tel het aantal steken per 2,5 cm op dezelfde wijze als in het voorbeeld hierboven. Nu moet je echter letten op de steekherhalingen van het patroon. Je kunt je eigen serie steken bedenken of werken met een 'stekenboek'. Dit is een soort encyclopedie met daarin tientallen verschillende steken en kleurenpatronen die je in je eigen ontwerpen kunt verwerken. Ze geven een overzicht van alle basissteken en technieken met de bijbehorende afkortingen; vandaar dat ze ook handig zijn als je een keer met een patroon bezig bent dat je niet helemaal begrijpt. Ik raad je aan er altijd één bij de hand te houden als je aan het breien bent.

Een boordsteek van '2 recht, 2 averecht' is bijvoorbeeld een herhaling van vier steken. Voor sommige stekenherhalingen heb je nog andere steken nodig, bijvoorbeeld '4 + 2'. Dit betekent dat het patroon uit vier steken bestaat die gedurende de toer worden herhaald, aangevuld met twee extra steken aan bijvoorbeeld de beide uiteinden, om het ontwerp in balans te brengen en het patroon goed te laten uitkomen.

Voor deze oefening maak je een boordsteek van '2 recht, 2 averecht' met hetzelfde garen dat je voor je eerste proeflap hebt gebruikt. Het patroon van het proeflapje moet een herhaling zijn van 4 + 2 steken zodat de boordsteek gelijk uitkomt. Als je klaar bent, heeft je proeflapje waarschijnlijk 24 steken op 10 centimeter. Het patroon van de boordsteek trekt de steken wat naar binnen, waardoor je meer steken per 2,5 centimeter krijgt dan bijvoorbeeld bij de tricotsteek of ribbelsteek. Als je dus een sjaal met een breedte van 15 centimeter wilt maken, moet je meer steken opzetten dan in het vorige voorbeeld, omdat je sjaal anders te smal wordt.

Let erop dat het totale aantal steken deelbaar is door de stekenherhaling van het patroon. Als

Aantal vereiste steken tellen

Maak een kopietje van de volgende formule en houd dit in je breitas (bepaal het aantal steken per centimeter met behulp van een stekenproef (zie blz. 10)).

Voor de meeste sjaals:
Breedte van de sjaal ____cm x steken per 10 cm ____ = aantal vereiste steken ____

Voor sjaals met kleur- of stekenpatronen:
Stekenpatroon = ____ steken
Aantal vereiste steken ____ ÷ aantal patroonsteken ____ = ____
LET OP: als dit geen rond getal is, pas het aantal vereiste steken dan naar boven of onderen aan tot een aantal dat deelbaar is door het aantal patroonsteken. Herbereken de breedte van de sjaal als volgt:
Nieuwe aantal vereiste steken ____ ÷ steken per 10 cm ____ = sjaalbreedte ____

Pompons maken

Deze pluizige balletjes kun je zo groot of klein maken als je zelf wilt:

1. Knip een stuk karton uit ter breedte van de pompon die je wilt maken.
2. Sla het garen 50-125 keer om het karton heen, afhankelijk van de gewenste diameter en de dikte van de draad. Zorg dat de strengen op gelijke afstand van elkaar liggen en dat ze elkaar in het midden niet teveel overlappen.

Een pompon of kwastje maken: stap 2

3. Steek een draad van circa 20 centimeter door een kant van het omgeslagen garen. Met de draad bind je het garen netjes bij elkaar en trek je het goed aan.

4. Schuif de punt van je schaar aan de tegengestelde zijde onder het garen en knip het door.

Een pompon of kwastje maken: stappen 3 & 4

5. Verwijder het karton en knip het garen netjes af tot er een mooi gelijkmatig bolletje ontstaat.
6. Steek de uiteinden van de knoop door een naald en maak de pompon vast aan de sjaal.

---

het aantal hierdoor niet deelbaar is, pas je gewoon de afmeting van je sjaal aan het stekenpatroon aan. Als in het patroon bijvoorbeeld een stekenherhaling van 5 steken wordt gebruikt en je stekenverhouding is 24 steken op 10 centimeter, voeg dan 1 steek toe zodat je op een totaal van 25 steken komt. Je sjaal is dan iets breder dan 10 centimeter, maar de stekenverhouding van 25 steken is wel deelbaar door het patroon met 5 steken.

Op het randje

Als finishing touch kun je de sjaal nog versieren. De meeste sjaals hebben franjes aan het uiteinde, maar misschien wil je eens wat anders proberen.

Je kunt bijvoorbeeld pompons langs de rand vastzetten (zie hierboven) zoals bij de sjaal in kabelsteek op blz. 36. Maar je kunt ook kralen, veren of stof gebruiken (zie foto's). Of je

Veren franjes

Kant-en-klare franjes

Kralenfranjes

Kantwerk*

Franjes maken

1. Knip een stuk garen af van twee keer de lengte van de franjes die je wilt maken, plus 5 cm extra.

2. Houd een paar strengen garen vast (bij sommige patronen staat aangegeven hoeveel strengen je moet pakken) en vouw deze dubbel.

3. Met een haaknaald trek je het gevouwen garen van de goede naar de verkeerde kant door het uiteinde van de sjaal. Gebruik hiervoor steeds een hele steek (twee lussen).

4. Trek de losse draden door de lus en trek ze stevig aan om de franjes aan de rand vast te maken.

breit de uiteinden van een sjaal in een bepaald kleurenpatroon (zie blz. 70) of in een ajour-steek, zoals bij het uiteinde van de sjaal bij 'Mohair en kant' (blz. 50). Gebruik je fantasie en maak eens iets heel anders.

* zie blz. 93 voor patroon

Afwerken

Voordat je je prachtige nieuwe sjaal cadeau kunt geven of kunt dragen, moet je eerst de losse draden netjes instoppen. Trek het uiteinde van de draad die je wilt instoppen door een stop- of tapijtnaald met een groot oog. Werk altijd aan de verkeerde kant van het breiwerk en stop de draad over een lengte van ongeveer 5 centimeter in langs de toer. Keren en nog een paar steken herhalen, zodat de draad goed vastzit. Hoewel het verleidelijk is om meer dan één draad op dezelfde plaats in te stoppen, kun je dat beter niet doen. Doe je dat wel, dan ontstaan dikke bobbels. Zorg er ook voor dat aan de goede kant van het breiwerk niet te zien is waar je draden hebt ingestopt. Als je het goed doet, zie je aan beide kanten niets. Knip de rest van de draad zo kort mogelijk af.

De sjaal is af, je hebt alle losse draden ingestopt en je wilt je nieuwe sjaal dolgraag dragen... maar hij krult helemaal naar binnen, het lijkt wel een worstje. Dat is niet altijd een ramp, tegenwoordig mag een sjaal best naar binnen krullen! Als het niet misstaat bij de look die je wilt creëren, laat die sjaal dan gewoon krullen!

Zo plat als een dubbeltje

Om te voorkomen dat je sjaal naar binnen krult, kun je de hele sjaal in een patroonsteek breien, bijvoorbeeld (dubbele) gerstekorrel. Ook kun je bij het begin van elke naald een kantsteek maken. Je steekt dan de eerste van elke naald alleen maar af en breit deze niet.

Maar wil je een platte sjaal en de patroonsteek die je hebt gebruikt voorkomt niet dat de sjaal naar binnen krult, dan kun je de sjaal persen. Om wollen sjaals te persen, speld je de sjaal op de gewenste lengte vast op een platte ondergrond. Vervolgens houd je een stoomstrijkijzer boven de sjaal totdat het weefsel is verzadigd van stoom. Je kunt ook een natte doek op de sjaal leggen en daar met een strijkijzer lichtjes overheen strijken of het breiwerk gewoon onder de vochtige doek laten opdrogen. Let er op dat je niet te hard met het strijkijzer op het weefsel drukt, anders beschadig je de wol en gaat de mooie structuur van het patroon misschien verloren.

Voor breiwerken in wol, mohair, angora, alpaca of kasjmier geldt dat je het alleen wat vochtig moet maken door er wat water over heen te spuiten. Vervolgens leg je het op een platte ondergrond en laat je het gewoon opdrogen.

Het persen van een sjaal in synthetisch materiaal vraagt om een heel andere aanpak. In tegenstelling tot wol en ander natuurlijke stoffen, reageren synthetische materialen meestal minder goed op behandelingen met hitte en/of stoom. Pluizige of harige garens worden vaak plat als je ze perst, dus dat kun je beter voorkomen. Als je je breiwerk nog wat wilt bijwerken, speld de sjaal dan in de gewenste lengte en vorm vast op een platte ondergrond. Vervolgens sprenkel je er wat water over en laat je de sjaal zo opdrogen. Hoewel deze methode misschien minder goed werkt als het persen van natuurlijke stoffen, kun je er wel enige vorm mee creëren. Kijk altijd op het garenlabel voor de instructies voor verzorging van het specifieke garen dat je hebt gebruikt.

Een beetje bont

Deze zachte, harige sjaal is helemaal gebreid in ribbelsteek. Iemand die niet breit, zal nooit weten hoe gemakkelijk het was om deze sjaal te maken. Je breit gewoon elke naald recht! Het weefsel ziet er aan beide zijden hetzelfde uit en de meeste sjaals in ribbelsteek krullen niet naar binnen. Je kunt de steek voor alle soorten garens gebruiken, dik of dun, harig of glad, gekleurd of in één kleur. Afhankelijk van het garen creëer je steeds een compleet andere look. Op blz. 23 staat een foto van proeflapjes in ribbelsteek met andere garens. Je zou niet denken dat ze allemaal volgens hetzelfde patroon zijn gebreid. Voor beginners zijn sjaals in ribbelsteek prima om mee te starten.

Afmetingen

10 cm x 150 cm

Voorbeeldmateriaal

Brazilia van Schachenmayer – Nomotta (Coats), dubbele draad, 100% polyester, 50 g/90 m per bol

Breinaalden

Rechte breinaalden nr. 8 *of de dikte die nodig is om de stekenverhouding te bereiken.*

Stekenproef

12 steken = 10 cm in ribbelsteek (elke naald recht breien). *Neem de tijd om te controleren of je de juiste stekenverhouding hebt bereikt.*

Ander materiaal

Stopnaald met groot oog om draden in te stoppen.

DE SJAAL BREIEN	
Begin	12 st. opzetten.
Naald 1	r. breien tot einde van de naald.
Volgende naalden	r. breien tot einde van de naald. In aangegeven patroon breien totdat de sjaal een totale lengte heeft van 150 cm, of tot de gewenste lengte.
AFWERKEN	
	De steken los afkanten. Alle losse draden instoppen met een stopnaald met een groot oog.

Een paar basistips

Los opzetten. Let erop dat je de steken niet te strak opzet, anders krijg je problemen met het breien van je eerste naald. Bovendien trekt het uiteinde van je sjaal hierdoor helemaal samen als de sjaal klaar is. Als het je niet goed lukt om los op te zetten, volgen hier wat tips:
• Gebruik twee naalden voor het opzetten en haal vervolgens één naald weg.
• Probeer de steken niet te veel naar elkaar toe te trekken tijdens het opzetten.
• Gebruik een dikkere naald voor het opzetten en pak de aangegeven dikte als je begint met breien.

Steken tellen. Tel om de paar naalden het aantal steken. Vooral als je met modern garen werkt, verlies je gemakkelijk een paar steken of krijg je er ongemerkt een paar bij. Probeer dat zo vroeg mogelijk op te sporen!

Draden instoppen. Als je van kleur verandert of met een nieuwe bol garen begint, moet je de draden instoppen om een mooie en egale sjaal te krijgen (zie 'Nieuw garen aanhechten' op blz. 13). Hier volgen enkele suggesties om de losse draden zo onzichtbaar mogelijk in te stoppen.
• Zorg ervoor dat je de uiteinden in de breedte langs de naald rijgt (niet in de lengte). Na 4 of 5 steken keer je en rijg je nog 2 of 3 steken. De draad moet nu stevig vastzitten.
• Je kunt de uiteinden altijd het beste aan het einde van een naald instoppen, niet in het midden. Je kunt de draden dan langs de rand van de sjaal instoppen, waar ze minder goed zichtbaar zijn.

Ander garen

Staal 1: Kid Mohair van Phildar, 70% kid mohair/30% wol, 50 g/113 m per bol

Staal 2: Tourbillons van Phildar, 96% wol/5% polyamide, 50 g/43 m per bol

Staal 3: Tendresse van Phildar, 35% katoen/35% modal/20% polyamide/10% viscose, 50 g/89 m per bol

Met stukjes en beetjes

Deze sjaal is prima geschikt voor het opmaken van restgaren dat je nog hebt liggen. Zolang de stekenverhouding van de verschillende soorten garens ongeveer dezelfde is, maakt het niet uit welk garen je gebruikt. Bij een dunner garen kun je bijvoorbeeld met een dubbele draad breien of het garen samen met een ander dun garen breien. Hoe willekeuriger je van kleur of garen verandert, hoe beter. Je hoeft dus niet van elk garen hetzelfde aantal naalden te breien. In plaats van de drie soorten garens die ik voor deze sjaal heb gebruikt, kun je natuurlijk ook met meerdere kleuren werken. Veel plezier!

Afmetingen

10 cm x 195 cm

Voorbeeldmateriaal

Matchmaker DK van Jaeger, 100% merinowol, 50 g/120 m per bol

Breinaalden

Een paar rechte breinaalden nr. 6 *of de maat die nodig is om de opgegeven stekenverhouding te bereiken.*

Stekenproef

16 steken = 10 cm in ribbelsteek. *Neem de tijd om te controleren of je de juiste stekenverhouding hebt bereikt.*

Ander materiaal

Stopnaald met groot oog om losse draden in te stoppen.

DE SJAAL BREIEN	
BEGIN	16 steken opzetten.
Naald 1	r. breien tot einde van de naald.
Volgende naalden	r. breien tot einde van de naald. Willekeurig van kleur wisselen totdat de sjaal een totale lengte heeft van 195 cm, of tot de gewenste lengte.
AFWERKEN	
	De steken los afkanten. Alle losse draden instoppen met een stopnaald met een groot oog.

Breien in drie kleuren

In plaats van steeds de draad door te knippen als je van kleur verandert, kun je het garen ook meenemen als je het niet gebruikt. Dit doe je door het werkgaren steeds om de twee of drie steken van *onderen* af om de andere draden heen te slaan.

Als je de draad in de oude kleur liever doorknipt, laat dan een stuk draad van zo'n 15-20 cm hangen. Brei de eerste steek met de nieuwe kleur en laat ook hiervan een draad van dezelfde lengte hangen. Houd de twee draden niet te los tussen de derde en vierde vinger van je rechterhand.

Bij de volgende steek houd je de spanning op de draden en sla je ze om het werkgaren net voordat je de steek breit. Herhaal dit zo'n vijf of zes steken.

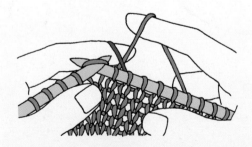

Nieuw garen meenemen langs de
verkeerde kant (achterkant)

Garen meenemen langs de verkeerde
kant (achterkant)

Ander garen

Staal 1: Licorne van Phildar, 100% glanskatoen, 50 g/120 m per bol

Staal 2: Twister van Patons, 65% polyester.35% acryl, 50 g/50 m per bol; Karisma van Garnstudio, 100% superwash wol, 50 g/108 m per bol; Chenille katoengaren van Crystal Palace, 100% glanskatoen, 50 g/106 m per bol

Staal 3: India lintgaren van Lana Grossa, 100% microfiber nylon, 45 g/65 m per bol; ¼ Sparkle lintgaren van Prism, 95% rayon/5% lurex, 70 g/97 m per bol; Zen van Berroco, 60% nylon/40% katoen, 50 g/115 m per bol

Klassieke strepen

Eenvoudige strepen in een brede ribbelsteek maken deze sjaal tot een klassieker. Hij is gebreid van heerlijk zachte alpaca en vraagt er gewoon om dat je hem om jouw of zijn nek draagt. Door zijn klassieke look en het zachte materiaal is dit een perfecte mannensjaal. De sjaal is supersnel klaar en heerlijk warm doordat je twee bollen garen samen breit.

Afmetingen

14 cm x 142,5 cm

Voorbeeldmateriaal

Alpaca van Garnstudio, dubbele draad,
    100% alpacawol, 50 g/ 97 m per bol

Breinaalden

Een paar rechte breinaalden nr. 6 *of de maat die*
    nodig is om de opgegeven stekenverhouding
    te bereiken.

Stekenproef

16 steken = 10 cm, 14 naalden = 10 cm in
    boordsteek (zie blz. 30). *Neem de tijd om te*
    controleren of je de juiste stekenverhouding
    hebt bereikt.

Ander materiaal

Stopnaald met groot oog om losse draden in te
    stoppen.

DE SJAAL BREIEN	
LET OP	De eerste en tweede naald vormen het patroon van de boordsteek. Je blijft dit patroon herhalen voor de hele sjaal, ook als je van kleur verandert om strepen te maken. Het is handig om al tijdens het breien de losse draden in te stoppen.
BEGIN	In kleur C met 2 draden tegelijk 26 steken opzetten.
Naald 1	*2 a., 6 r.; herhalen vanaf * tot laatste 2 steken; 2 a.
Naald 2	*2 r., 6 a.; herhalen vanaf * tot laatste 2 steken; 2 r.
Naald 3–12	Naald 1 en 2 herhalen (boordsteek).
Naald 13–26	Veranderen in kleur A en doorgaan in boordsteek.
Naald 27–28	Veranderen in kleur B en doorgaan in boordsteek.
Naald 29–30	Veranderen in kleur A en doorgaan in boordsteek.
Naald 31–34	Veranderen in kleur B en doorgaan in boordsteek.
Volgende naalden	Naalden 13-24 negen keer herhalen.
Volgende 14 naalden	Veranderen in kleur A en doorgaan in boordsteek.
Volgende 12 naalden	Veranderen in kleur C en doorgaan in boordsteek.
AFWERKEN	
	De steken los afkanten. Alle losse draden instoppen met een stopnaald met een groot oog.
LET OP	Als de sjaal naar binnen krult langs de randen en je wilt een platte sjaal, kijk dan op blz. 18 voor instructies om te persen.

'Tweed'-effect

De strepen van het patroon op blz. 29 kun je ook met ander garen breien of smaller of breder maken. Strepen zijn leuk om te maken, want met een paar kleine aanpassingen ziet je sjaal er heel anders uit.

Op de foto zie je hoe je de klassieke streep wat cachet kunt geven. Het 'tweed'-effect creëer je met twee garens in verschillende kleuren. Houd tijdens het breien gewoon beide draden in je hand. (Om te voorkomen dat de draden verward raken, stop je alle bollen in een plastic doosje. In het midden van het doosje knip je een rondje voor de draad.) De onderste streep van circa 7,5 cm, die meteen de rand vormt, is gebreid met een modern harig garen, wat de sjaal frivoler maakt!

Bij dit patroon kun je ook de breedte van de ribbels veranderen. Brei bijvoorbeeld '4 recht, 4 averecht' om een gelijkmatige boordsteek te krijgen of '8 recht, 2 averecht' voor bredere ribbels. Je kunt met alle patronen in dit boek experimenteren. Sjaals breien is weliswaar eenvoudig, maar kan ook erg leuk en creatief zijn. Op blz. 13 tot 17 vind je meer advies over het maken van je eigen creaties.

Ander garen

Partner van Phildar,
50% polyamide/25% wol/25% acryl,
50 g/66 m per bol

Groot en dik

Hoe groter de steken zijn, hoe sneller de sjaal af is. Sjaals die zijn gebreid van dikke wol en in een mum van tijd klaar zijn, zijn momenteel helemaal 'in'. Deze sjaal is gebreid in een imitatie-ribbelsteek waarbij je steeds één naald recht en één naald averecht breit. Lekker makkelijk is dat. De prachtige kleuren van het garen maken je helemaal vrolijk en de sjaal houdt je lekker warm.

Afmetingen

15 cm x 190 cm (exclusief franjes)

Voorbeeldmateriaal

Biggy Print van Rowan, 100% wol, 100 g/30 m
   per bol

Breinaalden

Een paar rechte breinaalden nr. 10 *of de maat
   die nodig is om de opgegeven stekenverhouding te bereiken.*

Stekenproef

8 steken = 10 cm in imitatie-ribbelsteek.
   *Neem de tijd om te controleren of je de juiste
   stekenverhouding hebt bereikt.*

Ander materiaal

Stopnaald met groot oog om losse draden in te
   stoppen.

LET OP	De sjaal is helemaal gebreid in imitatie-ribbelsteek (zie naald 1 en 2 hieronder).
BEGIN	13 steken opzetten.
Naald 1	*1 a., 1 r.; herhalen vanaf * tot einde van de naald; 1 a.
Naald 2	r. breien tot einde van de naald.
Volgende naalden	Naald 1 en 2 herhalen totdat de sjaal een lengte heeft van 190 cm, of tot de gewenste lengte.
	De steken los afkanten.
AFWERKEN	
	Alle losse draden instoppen met een stopnaald met een groot oog.
	Maak 16 franjes met een lengte van 20 cm. Zet aan beide uiteinden van de sjaal 8 franjes vast (de instructies voor het maken en vastzetten van franjes vind je op blz. 17).
	Als de randen van de sjaal naar binnen krullen, kun je ze plat persen volgens de instructies op blz. 18.

Versieren

Een bloemetje hier, wat borduurwerk daar, je kunt je sjaal op allerlei manieren versieren. Zo maak je van een saaie sjaal een echt modestatement. Maak zelf een bloem van lintgaren of koop een paar stoffen bloemen in de winkel en zet ze vast op je sjaal. Je kunt ook je initialen op je sjaal borduren of een kronkelende wijnrank met wat druiven. Of versier je sjaal eens met kraaltjes.

Ander garen

Staal 1:   Big Wool van Rowan, 100% merinowol, 100 g/94 m per bol

Staal 2:   Kid Classic van Rowan (2 draden tegelijk breien), 70% lamswol/26% kid mohair/4% nylon, 50 g/165 m per bol

Staal 3:   Bulky Rayon Chenille van Blue Heron Yarns, 100% rayon, 230 g/297 m per bol

Allemaal kabels

Vind je een klassieke witte sjaal met kabels ook niet het einde? Je kunt de sjaal dragen als je naar een voetbalwedstrijd gaat kijken, maar ook als je uit eten gaat of naar de bioscoop. De sjaal is gebreid in gemêleerde, extra warme angora (heb je ooit een konijn gezien dat het koud had?) en voelt heerlijk aan. Kabels breien is iets meer werk, maar het eindresultaat maakt dat helemaal de moeite waard.

Afmetingen

18 cm x 180 cm

Voorbeeldmateriaal

Lush van Classic Elite, 50% angora/50% wol, ongeveer 100 g/205 m per bol

Breinaalden

Een paar rechte breinaalden nr. 5,5 *of de maat die nodig is om de opgegeven stekenverhouding te bereiken.*

Stekenproef

23 steken = 10 cm in kabelsteek (zie blz. 38). *Neem de tijd om te controleren of je de juiste stekenverhouding hebt bereikt.*

Ander materiaal

Stopnaald met groot oog om de losse draden in te stoppen, dikke kabelnaald.

Kabelsteken

Enkele kabel (6 steken)

Naald 1 en 3: 6 r.

Naald 2, 4 en 6: 6 a.

Naald 5: 3 steken op de kabelnaald schuiven. De kabelnaald aan de achterkant van het breiwerk houden. 3 steken van de hoofdnaald breien, daarna 3 steken van de kabelnaald.

Enkele kabel

Dubbele kabel (14 steken)

Naald 1 en 3: *2 r., 2 a.; herhalen vanaf * tot laatste 2 steken; 2 r.

Naald 2 en 4: *2 a., 2 r.; herhalen vanaf * tot laatste 2 steken; 2 a.

Naald 5: *4 steken op de kabelnaald schuiven. De kabelnaald aan de voorkant van het breiwerk houden en 2 steken van de linkernaald recht breien. 2 averechte steken van de kabelnaald op de linkernaald schuiven en averecht breien. 2 steken van de kabelnaald op de linkernaald schuiven en recht breien; herhalen vanaf *. 2 a. breien.

Naald 6, 8 en 10: *2 a., 2 r.; herhalen vanaf * tot laatste 2 steken; 2 a.

Naald 7 en 9: *2 r., 2 a.; herhalen vanaf * tot laatste 2 steken; 2 r.

Naald 11: 2 r., 2 a., 4 steken op de kabelnaald schuiven. De kabelnaald aan de achterkant van het breiwerk houden en 2 steken van de linkernaald recht breien. 2 averechte steken van de kabelnaald op de linkernaald schuiven en averecht breien. 2 steken van de kabelnaald op de linkernaald schuiven en recht breien. 2 a., 2 r.

Naald 12: *2 a., 2 r.; herhalen vanaf * tot laatste 2 steken; 2 a.

Dubbele kabelsteek

LET OP	Zie de beschrijving op de vorige blz. voor de enkele en dubbele kabelsteek. De eerste en laatste twee steken van elke naald vormen een rand. Deze voorkomt dat de sjaal bij het dragen naar binnen krult. Plaats stekenmarkers langs elke kabel zodat je weet waar een kabel begint of eindigt.
BEGIN	46 steken opzetten met naald 5,5.
Naald 1	2 r., 3 a., enkele kabelsteek, 5 a., dubbele kabelsteek, 5 a., enkele kabelsteek, 3 a., 2 r.
Naald 2	5 r., enkele kabelsteek, 5 r., dubbele kabelsteek, 5 r., enkele kabelsteek, 5 r.
Volgende naalden	Naald 1 en 2 herhalen, inclusief enkele kabelsteek (elke 6 naalden) en dubbele kabelsteek (elke 12 naalden) volgens stekenpatroon totdat de sjaal een lengte heeft van 175 cm. Verder breien tot naald 9 van het patroon voor de dubbele kabelsteek.
	Los afkanten (rechte steken recht afkanten, averechte steken averecht afkanten).

	Alle losse draden instoppen met een stopnaald met een groot oog.
	Maak 10 pompons van elk 5 cm doorsnee volgens de instructies op blz. 16. Zet deze op gelijke afstand van elkaar vast langs de uiteinden van de sjaal.

Kabels maken

Om een kabel te maken, plaats je het aantal steken dat in het patroon wordt vermeld op een derde naald of speciale kabelnaald. Vervolgens houd je deze naald volgens de instructies aan de voor- of achterkant van je breiwerk. Eerst brei je de steken op je linkernaald en pas daarna brei je de steken van de kabelnaald. Let goed op dat je de juiste volgorde aanhoudt.

Bloementuin

Het is altijd leuk om midden in de winter een bloementuin te zien.
Als het buiten kaal is, draag je er gewoon één om je hals!
De sjaal is op zich al prachtig door het gebruik van een eenvoudige
gerstekorrelsteek, maar de bloemen maken hem helemaal af.
De bloemen zijn gemakkelijk om te maken,
ook voor beginners.

Afmetingen

25 cm x 150 cm

Voorbeeldmateriaal

Midland van Phildar, 72% acryl/28% wol,
   50 g/104 m per bol

Breinaalden

Een paar breinaalden nr. 6 *of de maat die nodig*
   is om de opgegeven stekenverhouding te
   bereiken.

Stekenproef

14 steken = 10 cm in gerstekorrelsteek
   (zie blz. 42). *Neem de tijd om te controleren*
   of je de juiste stekenverhouding hebt bereikt.

Ander materiaal

Stopnaald met groot oog om losse draden in te
   stoppen.
Een paar centimeter lintgaren, naald en garen in
   een passende kleur.

DE SJAAL BREIEN	
Let op	Deze sjaal is volledig gebreid in gerstekorrelsteek (elke naald 1 r., 1 a. tot einde naald). De gerstekorrelsteek brei je met een oneven aantal steken. Dit betekent dat je steeds een rechte steek in de averechte steek van de vorige naald breit en omgekeerd. Zo ontstaat een mooie structuur.
Begin	35 steken opzetten.
Naald 1	* 1 r., 1 a.; herhalen vanaf * tot einde van de naald; 1 r.
Volgende naalden	Naald 1 herhalen totdat de sjaal een lengte heeft van 150 cm, of tot de gewenste lengte.
AFWERKEN	
	De steken los afkanten in patroonsteek (1 r., 1 a.).
	Alle losse draden instoppen met een stopnaald met een groot oog.

Ander garen

Partner van Phildar, 20% polyamide/25% wol/25% acryl, 50 g/66 m per bol

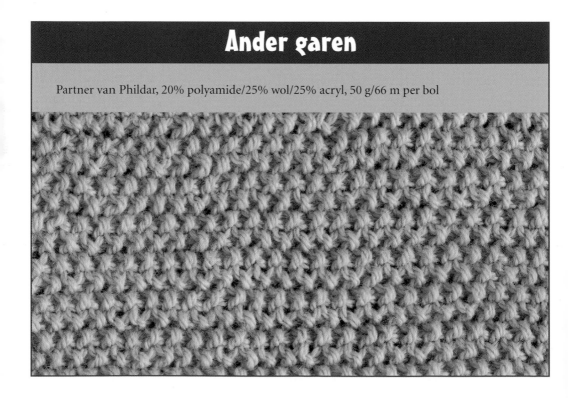

Meters wapperend lint

Lintgaren is een heerlijk materiaal om mee te werken. Volg de instructies op de volgende bladzijden voor het maken van bloemen. Je kunt diverse kleuren en patronen uitproberen of de bloemen gebruiken als versiering voor ander breiwerk.

Bloemen maken van lint

Materiaal voor grote bloemen:

1 meter tweekleurig lint (3,55 cm breed)
   (half groen en half paars)
groen garen in een passende kleur
naald

1. Houd het lint vast met de paarse rand naar boven. Vouw een kant van het lint over de voorkant naar beneden. Het uiteinde hiervan komt ongeveer een centimeter over de onderste rand heen.

4. Pak aan het andere uiteinde de draad van de onderste rand vast en trek hieraan. Het lint gaat hierdoor samentrekken. Blijf trekken tot aan het opgerolde stuk. Draai de samengetrokken rand rond het midden. Knip overtollig lint weg en vouw de laatste centimeter tot een driehoek. Zet het samengetrokken deel van de bloem vast met een draad in een passende kleur (zie foto). Controleer of de uiteinden van het lint goed vastzitten, zodat je geen rafels ziet.

Stap 1

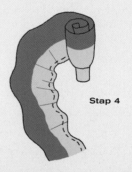

Stap 4

2. Vouw het opgevouwen stukje in tweeën (zie stippellijn in tekening van stap 1). Dit wordt het midden van de bloem.

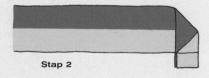

Stap 2

3. Rol het gevouwen stukje nu twee of drie keer tussen duim en vinger.

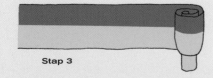

Stap 3

Materiaal voor kleine bloemen:

50 centimeter tweekleurig lint (3,55cm
breedte) (half groen en half paars)
paars garen in een passende kleur
naald

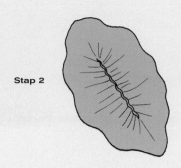

Stap 2

Houd het lint met de groene kant naar
boven vast en volg de instructies voor het
maken van de grote bloemen. Aangezien je
minder lint gebruikt, worden de bloemen
kleiner.

het einde van het lint een schuine lijn om
de andere kant van het blad te maken.
Open het blad en zet het samengetrokken
deel vast op de sjaal (zie foto).

Materiaal voor grote bladeren:

groen satijnen lint van 1 meter lengte
(2,5 cm breed)
groen garen in een passende kleur
naald

Materiaal voor kleine bladeren:

groen satijnen lint van 22,5 cm lengte
(2,5 cm breedte)
groen garen in een passende kleur
naald

1. Knip een stuk lint af met een lengte van
25 cm. Vouw dit overdwars in tweeën met
de goede kanten tegen elkaar aan. Een uiteinde van het blad maak je door vanaf
ongeveer 1 cm van het uiteinde bij de
open rand een schuine lijn te rijgen naar de
hoek van de gevouwen rand; zet de rijgste-
ken goed vast en naai vervolgens met een
rijgsteek het lint overdwars op ongeveer
3 mm van de gevouwen rand.

De kleine bladeren maak je op dezelfde
manier als de grote bladeren.

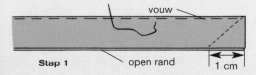

vouw

Stap 1   open rand   1 cm

2. Trek de rijgsteek aan zodat het lint gaat
samentrekken. Met een rijgsteek rij je aan

Lang en smal

Heeft er al ooit iemand tegen je gezegd dat je niet te lang of te smal kunt zijn? Wat mensen aangaat ben ik er nog niet zo zeker van, maar op deze sjaal is het absoluut van toepassing. Deze lange sjaal is amper 7 centimeter breed, maar hij is gebreid met een heleboel steken en maar weinig naalden. Met andere woorden, je zet de steken dus op in de lengte van de sjaal en niet in de breedte. Het gerstekorrelpatroon heb je zo onder de knie. Aangezien de sjaal is gebreid in strepen, lijkt het net of hij is geweven.

Afmetingen

7 cm x 210 cm (exclusief franjes)

Voorbeeldmateriaal

Merino Big van Lana Grossa, 100% wol,
50 g/120 m per bol

kleur A = crèmekleur

kleur B = olijfgroen

kleur C = donkerpaars

kleur D = lavendelblauw

kleur E = donkeroranje

kleur F = lichtoranje

Breinaalden

Een rondbreinaald nr. 6,5 of *de maat die nodig is om de opgegeven stekenverhouding te bereiken.*

Stekenproef

19 steken = 10 cm in gerstekorrelsteek (zie blz. 48). *Neem de tijd om te controleren of je de juiste stekenverhouding hebt bereikt.*

Ander materiaal

Stopnaald met groot oog om losse draden in te stoppen.

LET OP	Deze sjaal is helemaal gebreid in de gerstekorrelsteek, zoals uitgelegd bij naald 1 en 2. Ook bij het veranderen van kleur binnen de steek blijf je deze aanhouden. Hoewel je de eerste en de tweede naald om en om breit, zijn voor sommige strepen 3 naalden gebruikt. Hierdoor begin je een nieuwe kleur soms niet met naald 1.
BEGIN	400 steken opzetten in kleur A.
Naald 1	* 1 r., draad naar voren omslaan en volgende steek a. afhalen. Draad naar achteren omslaan; herhalen vanaf * tot einde naald.
Naald 2	* 1 a., draad naar achteren omslaan en volgende steek r. afhalen. Draad naar voren omslaan; herhalen vanaf * tot einde naald.
Naald 3-4	Veranderen naar kleur B en naald 1 en 2 herhalen.
Naald 5–8	Veranderen naar kleur C en naald 1 en 2 herhalen.
Naald 9-10	Veranderen naar kleur D en naald 1 en 2 herhalen.
Naald 11–13	Veranderen naar kleur E en naald 1 en 2 herhalen.
Naald 14	Veranderen naar kleur F. *1 a., draad omslaan naar achteren en volgende st. averecht afhalen, draad terug naar voren omslaan; herhalen vanaf * tot einde naald. LET OP: dit is hetzelfde als bij naald 2.
Naald 15	*1 r., draad omslaan naar voren en volgende st. averecht afhalen, draad terug naar achteren omslaan; herhalen vanaf * tot einde naald. LET OP: dit is hetzelfde als bij naald 1.

Averechte slipsteek

Om een steek averecht af te halen, steek je de rechterbreinaald in de voorkant van de volgende steek op de linkerbreinaald alsof je deze averecht gaat breien. Vervolgens schuif je de steek naar de rechterbreinaald zonder deze te breien.

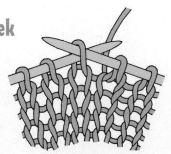

Naald 16 en 17	Veranderen naar kleur A en naald 14 en 15 herhalen.
Naald 18 en 19	Veranderen naar kleur C en naald 14 en 15 herhalen.
Naald 20–22	Veranderen naar kleur B en naald 14 en 15 herhalen, daarna naald 14 herhalen.
Naald 23	Veranderen naar kleur A en naald 15 herhalen.
Naald 24–25	Veranderen naar kleur D en naald 14 en 15 herhalen.
AFWERKEN	
	Doorgaan in kleur D, alle steken los afkanten in gerstekorrelsteek.
	Alle losse draden instoppen met een stopnaald met een groot oog.
	Volg de algemene werkwijze voor het maken van franjes zoals beschreven op blz. 17. Je hebt voor elke franje draden nodig met een lengte van 52,5 cm. Maak vier setjes in crème, olijfgroen, donkerpaars en lavendelblauw, en twee setjes in licht- en donkeroranje.
	Zet de kwastjes vast aan beide uiteinden van de sjaal bij de betreffende kleur.

Ander garen

Avosi van Phildar, 60% katoen/40% acryl, 50 g/68 m per bol

Mohair en kant

Als je in een boord een ingewikkelde steek gebruikt, creëer je in korte tijd veel effect. Je kunt de hier beschreven boordsteek ook gebruiken voor de hele sjaal, maar juist door hem alleen in de rand te breien komt het unieke patroon nog beter uit. De rest van de sjaal is gebreid in een eenvoudige ajoursteek. Voor de boordsteek heb je in het begin misschien wat meer tijd nodig, maar als je eenmaal weet hoe je de steken van de ene naar de andere naald schuift, is het heel eenvoudig. Het eindresultaat is zeker de moeite waard.

Afmetingen

19 cm x 155 cm

Voorbeeldmateriaal

Midland van Phildar, 72% acryl/28% wol,
    50 g/104 m per bol

Breinaalden

Een paar rechte breinaalden nr. 8 *of de maat die nodig is om de opgegeven stekenverhouding te bereiken.*

Stekenproef

12 steken = 10 cm in ajourpatroon (zie blz. 52).
Neem de tijd om te controleren of je de juiste stekenverhouding hebt bereikt.

Ander materiaal

Stopnaald met groot oog om losse draden in te stoppen.

2r.st.s. = 2 rechte steken samen breien

Patroonsteken

Boordsteek (veelvoud van 8 steken)

Naald 1–4: r. breien tot einde van de naald.

Naald 5: *naald insteken in volgende steek en draad 4 keer om punt van de rechter-naald slaan, vervolgens steek recht breien waardoor alle steken worden doorgehaald; herhalen vanaf * tot einde van de naald.

Naald 6: *draad achter het breiwerk hou-den, 8 steken afsteken en alle extra omsla-gen laten vallen. Op de rechternaald staan 8 lange steken. Linkernaald in eerste 4 steken van de 8 lange steken steken en over de volgende 4 halen. Alle steken terug-brengen naar linkernaald en 8 gekruiste steken recht breien in de nieuwe volgorde. Herhalen vanaf * tot einde van de naald.

Naald 7–10: r. breien tot einde van de naald.

Naald 11: naald 5 herhalen.

Naald 12: draad achter het breiwerk houden, 4 steken afsteken en extra omsla-gen laten vallen. Vervolgens twee over twee kruisen zoals bij naald 6 en deze 4 steken recht breien. *Draad achter het breiwerk houden, 8 steken afsteken en alle extra omslagen laten vallen. 4 over 4 kruisen zoals bij naald 6 en deze 8 steken recht breien. Nogmaals herhalen vanaf *. 4 steken afsteken en extra omslagen laten vallen. Daarna twee over twee kruisen zoals bij naald 6 en deze 4 steken recht breien.

Ajoursteek (oneven aantal steken)

Naald 1–4: r. breien tot einde van de naald.

Naald 5: 1 r.;*draad omslaan, 2 st. samen-breien r.; herhalen vanaf * tot einde van de naald

Boordsteek (Naald 1-6)

Ajoursteek

DE RAND BREIEN	
BEGIN	24 steken opzetten.
Naald 1–12	Boordsteek breien (volgens beschrijving op blz. 52).
Naald 13–22	Naald 1-10 van boordsteek herhalen. In de tiende naald 3 steken minderen, op gelijke afstand verspreid over de naald.

DE SJAAL BREIEN	
Naald 1–5	Verder breien in ajoursteek (volgens beschrijving op blz. 52).
Volgende naalden	Doorgaan in ajoursteek totdat de sjaal een lengte heeft van 142,5 cm met naald 5 van ajoursteek.

DE RAND BREIEN	
Naald 1	Naald 1 van boordsteek breien, 3 steken meerderen op gelijke afstand verspreid over de naald.
Naald 2–12	Naald 2-12 van boordsteek breien (volgens beschrijving op blz. 52).
Naald 13–22	Naald 1-10 van boordsteek herhalen.

AFWERKEN	
	De steken losjes afkanten. Alle losse draden instoppen met een stopnaald met een groot oog.

Ander garen

Sandra van Phildar, 47% mohair/35% polyamide/18% acryl, 50 g/44 m per bol

Zijden ketting

Linnen garen is prachtig om te zien en in dit patroon met lange steken komt het materiaal extra goed uit. De sjaal is niet zo warm, maar hij geeft je kleding zeker wat extra glans. De sjaal lijkt net een lange zijden ketting. De zogeheten 'luie wijvensteek' die hier wordt gebruikt, is door zijn ritme gemakkelijker te breien dan je zou denken. Het lijkt veel werk, maar dat valt best mee.

Afmetingen

10 cm x 180 cm

Voorbeeldmateriaal

Partner van Phildar, 50% polyamide/25% wol/
  25% acryl, 50 g/66 m per bol

Breinaalden

Een paar rechte breinaalden nr. 6,5 *of de*
  maat die nodig is om de opgegeven steken-
  verhouding te bereiken.

Stekenproef

14 lussen = 10 cm in 'luie wijvensteek'
  (zie blz. 56). *Neem de tijd om te controleren*
  of je de juiste stekenverhouding hebt bereikt.

Ander materiaal

Stopnaald met groot oog om alle losse draden in
  te stoppen.

DE SJAAL BREIEN	
LET OP	Deze sjaal is volledig gebreid in de 'luie wijvensteek', met een herhaling van 5 naalden. Onderaan de bladzijde vind je de instructies voor het omslaan van de draad (d.om.).
BEGIN	17 steken opzetten.
Naald 1–3	r. breien tot einde van de naald.
Naald 4	*1 r., twee keer d.om.; herhalen vanaf * tot laatste steek; 1 r.
Naald 5	*1 r., beide d.om.st. laten vallen; herhalen vanaf * tot laatste steek; 1 r.
Volgende naalden	Naald 1-5 herhalen totdat de sjaal een lengte heeft van 177,5 cm, of tot de gewenste lengte.
Volgende naalden	3 naalden recht breien.
AFWERKEN	
	De steken los afkanten. Alle losse draden instoppen met een stopnaald met groot oog.

Draad omslaan

De afgebeelde technieken kun je gebruiken voor het omslaan van de draad in de vierde en vijfde naald.

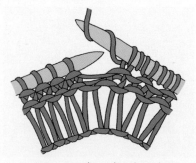

Naald 4: twee keer draad omslaan

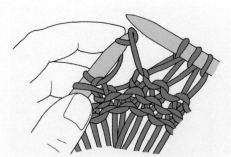

Naald 5: beide omslagen laten vallen

Ander garen

Staal 1

Midland van Phildar, 72% acryl/28% wol, 50 g/104 m per bol

Staal 2

Beaugency van Phildar, 55% polyamide/25% acryl/20% wol, 50 g/82 m per bol

Staal 3

Sport Laine van Phildar, 49% acryl/51% wol, 50 g/76 m per bol

Kronkelende wijnranken

Dit oude breipatroon met kronkelende wijnranken hebben we in een nieuw jasje gestoken door de kleur te veranderen en door het moderne garen. De mohairwol maakt deze sjaal licht en zacht en de ajoursteek geeft de sjaal een luchtige elegantie. Het patroon is best pittig. Er worden veel afkortingen gebruikt en je moet tijdens het breien steken aftrekken en optellen. Laat dat je er echter niet van weerhouden deze uitdaging aan te gaan, want ik weet zeker dat het je zal lukken.

Afmetingen
19 cm x 110 cm

Voorbeeldmateriaal
La Gran van Classic Elite, 76,5% mohair/ 17,5% wol/6% nylon, 50 g/83 m per bol

Breinaalden
Een paar rechte breinaalden nr. 6,5 *of de maat die nodig is om de opgegeven stekenverhouding te bereiken.*

Stekenproef
15 steken = 10 cm in patroonsteek (zie blz. 60).

Neem de tijd om te controleren of je de juiste stekenverhouding hebt bereikt.

Ander materiaal
Stopnaald met groot oog om losse draden in te stoppen.

2r.st.s. = 2 rechte steken samen breien ◆ **ov.** = 1 afgehaalde steek over rechte steek halen ◆ **2a.st.s** = 2 averechte steken samen breien ◆ **d.om.** = draad omslaan

DE SJAAL BREIEN	
Let op	Deze sjaal is volledig gebreid in het patroon met kronkelende wijnranken, met een herhaling van 12 naalden. Op blz. 61 zie je een beschrijving van hoe je achter moet insteken.
Begin	28 steken opzetten.
Naald 1	2 r.; *d.om., naald aan achterkant insteken en 1 r., d.om., 1 st. afhalen, 1 r., ov., 5 r.; herhalen vanaf * tot laatste 2 st. op naald, 2 r.
Naald 2	2 r.; *4 a., naald aan achterkant insteken en 2a.st.s., 3 a.; herhalen vanaf * tot laatste 2 st. op naald, 2 r.
Naald 3	2 r.; *d.om., naald aan achterkant insteken en 1 r., d.om., 2 r., 1 st. afhalen, 1 r., 1 ov., 3 r.; herhalen vanaf * tot laatste 2 st. op naald, 2 r.
Naald 4	2 r.; *2 a., naald aan achterkant insteken en 2a.st.s., 5 a.; herhalen vanaf * tot laatste 2 st. op naald, 2 r.
Naald 5	2 r.; *naald aan achterkant insteken en 1 r., d.om., 4 r., 1 afhalen, 1 r., 1 ov., 1 r., d.om.; herhalen vanaf * tot laatste 2 st. op naald; 2 r.
Naald 6	2 r.; *1 a., naald aan achterkant insteken en 2a.st.s., 6 a.; herhalen vanaf * tot laatste 2 st. op naald; 2 r.

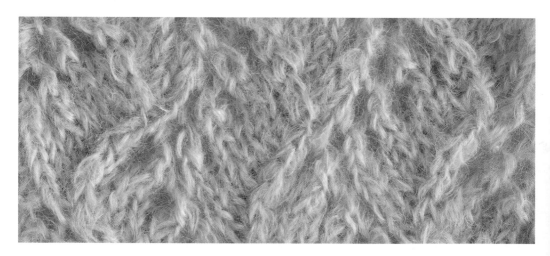

Close-up van de kronkelende wijnranken

Naald 7	2 r.; *5 r., 2r.st.s., d.om., naald aan achterkant insteken en 1 r., d.om.; herhalen vanaf * tot laatste 2 st. op naald; 2 r.
Naald 8	2 r.; *3 a., 2a.st.s., 4 a.; herhalen vanaf * tot laatste 2 st. op naald; 2 r.
Naald 9	2 r.; *3 r., 2r.st.s., 2 r., d.om., naald aan achterkant insteken en 1 r., d.om.; herhalen vanaf * tot laatste 2 st. op naald; 2 r.
Naald 10	2 r.; *5 a., 2a.st.s., 2 a.; herhalen vanaf * tot laatste 2 st. op naald; 2r.
Naald 11	2 r.; *d.om., 1 r., 2r.st.s., 4 r., d.om., naald aan achterkant insteken en 1 r.; herhalen vanaf * tot laatste 2 st. op naald; 2 r.
Naald 12	2 r.; *6 a., 2a.st.s., 1 a.; herhalen vanaf * tot laatste 2 st. op naald; 2 r.
Volgende naalden	Naald 1-12 herhalen totdat de sjaal een lengte heeft van 110 cm, of tot de gewenste lengte.
AFWERKEN	
	De steken los afkanten met rechte steek.
	Alle losse draden instoppen met een stopnaald met een groot oog.

Naald insteken aan achterkant lus

Om de steken de juiste draai te geven en het kantmotief van dit mooie patroon te verkrijgen, moet je de steken als volgt breien:

Oneven naalden:
Naald aan achterkant lus insteken
en 1 recht breien

Even naalden:
Naald aan achterkant lus insteken
en 2 averecht samen breien

Waaier van veren

De pauwensteek waarin deze sjaal is gebreid, is een basissteek die
gedurende lange tijd alleen werd gebruikt voor Afghaans breiwerk.
Nu zie je hem echter steeds vaker verschijnen in de kleding van de
modeshows van Milaan. Het chenillegaren en de moderne kleur maken
het patroon van deze sjaal helemaal van deze tijd.
Hoewel het patroon er op het eerste gezicht ingewikkeld uitziet,
is het een eenvoudige herhaling van slechts 4 naalden.

Afmetingen

15 cm x 165 cm

Voorbeeldmateriaal

Phil Chenille No 5 van Phildar, 94% polyester/
6% polyamide, 50 g/60 m per bol

Breinaalden

Een paar rechte breinaalden nr. 6,5 *of de maat
die nodig is om de opgegeven stekenverhouding te bereiken*

Stekenproef

16 steken = 10 cm in pauwensteek
(zie beschrijving op blz. 64) *Neem de tijd om
te controleren of je de juiste stekenverhouding
hebt bereikt.*

Ander materiaal

Stopnaald met groot oog om losse draden in te
stoppen.

2r.st.s. = 2 rechte steken samen breien ◆
d.om. = draad omslaan

DE SJAAL BREIEN	
LET OP	Deze sjaal is helemaal gebreid in de pauwensteek, met een herhaling van 4 naalden. Korte instructies die onderdeel uitmaken van een langere regel met instructies die ook worden herhaald, staan tussen ronde haakjes. Als alleen een bepaalde serie instructies wordt herhaald, wordt een * en een ; gebruikt.
BEGIN	24 steken losjes opzetten.
Naald 1	r. breien tot einde van de naald.
Naald 2	a. breien tot einde van de naald.
Naald 3	* twee keer 2r.st.s., 4 keer (d.om., 1 r.), twee keer 2r.st.s.; nogmaals herhalen vanaf *.
Naald 4	r. breien tot einde naald.
Volgende naalden	Naald 1-4 herhalen totdat sjaal een lengte heeft van 165 cm, of tot de gewenste lengte.
AFWERKEN	
	De steken los afkanten. Dit is vooral belangrijk bij chenillegaren, omdat het de neiging heeft naar binnen te krullen als het te strak is afgekant. Alle losse draden instoppen met een stopnaald met een groot oog.

Tips voor de verzorging van chenillegaren

In tegenstelling tot de meeste garens wordt chenille niet gesponnen, maar bestaat het uit geweven stof die in de lengte twee keer tot lange smalle repen is gesneden. Helaas heeft de structuur van dit garen de neiging om uit te steken, d.w.z. dat je in het weefsel soms ineens een stuk draad naar buiten ziet steken. Met de juiste spanning voorkom je deze neiging, maar sommige garens blijven het doen, wat je ook probeert. Mijn ervaring is dat het weefsel beter op zijn plaats blijft als je een patroonsteek gebruikt in plaats van een gewone tricotsteek.

Om lussen langs de opzetrand te vermijden, kun je de steken ook breiend opzetten in plaats van met de lange draad.

Kijk op het garenlabel voor de juiste verzorgingsinstructies. Sommige acryl chenillegarens moet je met de hand wassen, andere juist niet. Je kunt altijd het beste de instructies van de fabrikant opvolgen.

Ander garen

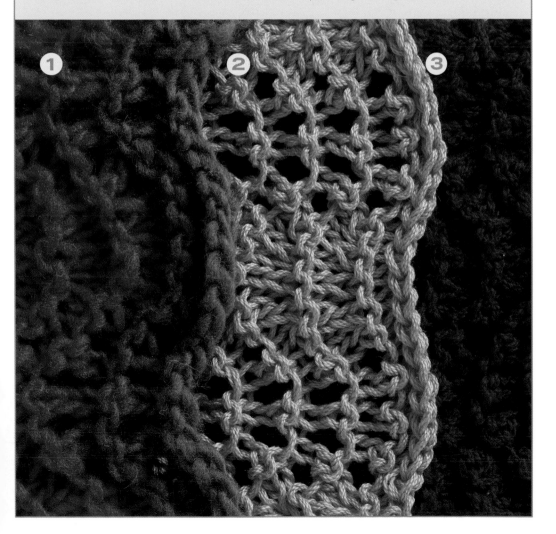

Gebreid of geweven?

De willekeurige kleuren van deze sjaal maken dat het nog meer lijkt alsof hij is geweven en niet gebreid. Ook de afgehaalde steek in combinatie met de draad die naar voren en naar achteren wordt omgeslagen zorgen ervoor dat het net lijkt of de sjaal op een weefgetouw is gemaakt. Hierdoor gaat de sjaal niet naar binnen krullen. Zoals bij de meeste patronen met afgehaalde steken, brei je op veel grotere naalden dan nodig, wat de structuur platter maakt.

Afmetingen

13 cm x 175 cm, exclusief franjes

Voorbeeldmateriaal

Prism van Colinette, 68% katoen/32% wol, 100 g/115 m per streng

Breinaalden

Een paar rechte breinaalden nr. 8,0 *of de maat die nodig is om de opgegeven stekenverhouding te bereiken.*

Stekenproef

18 steken = 10 cm in patroon met afgehaalde steken. *Neem de tijd om te controleren of je de juiste stekenverhouding hebt bereikt.*

Ander materiaal

Stopnaald met groot oog om losse draden in te stoppen.

DE SJAAL BREIEN	
LET OP	Gedurende dit hele patroon haal je om de steek een steek af zowel op de rechte als op de averechte naalden. Volg de aanwijzingen van het patroon en let erop dat je de draad vóór de afgehaalde steek houdt bij rechte naalden en achter de steek bij averechte naalden (zie afbeelding hieronder). Bij rechte naalden steek je de naald in de steek die je wilt afhalen alsof je deze averecht zou gaan breien; bij averechte naalden steek je de naald ook zo in de steek (dat gaat vanzelf). (Zie afbeelding op blz. 48).
BEGIN	26 steken opzetten. Bij de eerste en tweede naald wordt het patroon met afgehaalde steken uitgelegd. De sjaal is helemaal in deze steek gebreid.
Naald 1	* 1 r., draad naar voren omslaan en volgende steek averecht afhalen, draad naar achteren omslaan; herhalen vanaf * tot einde van de naald.
Naald 2	* 1 a., draad naar achteren omslaan en volgende steek averecht afhalen, draad naar voren omslaan; herhalen vanaf * tot einde van de naald.

Technieken voor weefsteken

Voor het juiste effect is het belangrijk dat je de draad altijd aan de goede kant van de sjaal meeneemt als je steken afhaalt.

Naald 1 en alle oneven naalden

Draad naar voren omslaan en volgende steek afhalen als bij een averechte steek.

Draad terug naar achteren omslaan en recht breien.

Naald 2 en alle even naalden

Draad naar achteren omslaan en volgende steek afhalen.

Draad naar voren omslaan en averecht breien.

	Naalden 1 en 2 herhalen totdat de sjaal een lengte heeft van 175cm, of tot de gewenste lengte.
	Alle steken los afkanten.

AFWERKEN

	Alle losse draden instoppen met een stopnaald met een groot oog.
	Voor de franjes 20 draden met een lengte van 42,5 cm afknippen. Volgens de beschrijving op blz. 17, franjes maken met 2 draden. Aan beide uiteinden van de sjaal vijf franjes vastzetten, op gelijke afstand van elkaar.

Ander garen

Castel van Phildar, 65% acryl/25% wol/10% chlorofibre, 50 g/132 m per bol

Kleuren en figuren

Breiwerk waarin verschillende kleuren en figuren zijn verwerkt, wordt traditioneel 'jacquard' genoemd. Ook deze sjaal is in veel kleuren en met diverse patronen gebreid. Deze moderne variant heeft frisse kleuren op een ondergrond van gebroken wit, waardoor de motieven extra goed uitkomen. De boord is gebreid in een traditioneel patroon waarbij elke steek een andere kleur heeft. Dit maakt kwastjes overbodig. Als je nog nooit met meerdere kleuren tegelijk hebt gebreid, is dit een prima breiwerk om daarmee te beginnen.

Afmetingen
16 cm x 180 cm

Voorbeeldmateriaal
Classic Merino Wool van Patons, 100% wol, 100
g/205 m per bol
kleur A = gebroken wit
kleur B = lichtblauw
kleur C = bladgroen
kleur D = magenta

Breinaalden
Een paar rechte breinaalden nr. 5,5 *of de maat*
die nodig is om de opgegeven stekenverhouding te bereiken.

Stekenproef
18 steken = 10 cm en 20 naalden = 10 cm in jacquard-stekenpatroon. *Neem de tijd om te controleren of je de juiste stekenverhouding hebt bereikt.*

Ander materiaal
Stopnaald met groot oog om losse draden in te stoppen.

DE SJAAL BREIEN	
LET OP	Het diagram met het jacquardpatroon vind je op blz. 74. Begin rechtsonder in het diagram en volg de aanwijzingen. Brei van rechts naar links aan de goede kant van het breiwerk en brei van links naar rechts aan de verkeerde kant van het breiwerk. Het diagram is gecodeerd op kleur voor de eerste kleurencombinatie, maar de contrasterende kleuren wisselen in volgorde in de hele sjaal. Volg hiervoor de instructies per naald hieronder.
DE BOORD BREIEN	
BEGIN	30 steken opzetten met naald 5,5.
Naald 1–7	Naald 1-7 van diagram breien in kleuren A en C (boord).
Naald 8–14	Naald 8-14 van diagram breien in kleuren A en B (boord).
HET JACQUARDPATROON BREIEN	
Naald 1–22	Naald 15-36 van diagram breien in kleuren A en D (ster-patroon).
Naald 23-33	Naald 37-47 van diagram breien in kleuren A en B (X en O-patroon).
Naald 34-55	Naald 15-36 van diagram breien in kleuren A en D (ster).
Naald 56-66	Naald 37-47 van diagram breien in kleuren A en B (X en O).
Naald 67-88	Naald 15-36 van diagram breien in kleuren A en D (ster).
Naald 89-99	Naald 37-47 van diagram breien in kleuren A en B (X en O).
Naald 100-121	Naald 15-26 van diagram breien in kleuren A en D (ster).
Volgende naalden	Naalden 1-121 herhalen.
DE BOORD BREIEN	
Naald 1-7	Naald 8-14 van diagram breien in kleuren A en B (boord).
Naald 8-14	Naald 1-7 van diagram breien in kleuren A en C (boord).

	Alle steken los afkanten.
	Alle losse draden instoppen met een stopnaald met een groot oog.
	Aangezien deze sjaal wordt gebreid in tricotsteek, zal hij de neiging hebben naar binnen te krullen. De verkeerde kant van het breiwerk is bij deze sjaal de binnenkant van het patroon. Door het naar binnen krullen zie je dit niet en dat is in dit geval niet zo erg.

Werken met kleuren

Als je met twee of meerdere kleuren breit, kun je een oneindig aantal prachtige ontwerpen creëren. In dit boek wordt het breien met meerdere kleuren jacquardbreien genoemd. Daarbij wisselen twee (of meer) kleuren elkaar af over de hele naald.

Als je van kleur verandert, neem dan altijd de kleur die je wilt benadrukken op van onder de andere kleur. Hierdoor zal deze kleur aan de voorkant van het patroon namelijk gaan domineren, waardoor je ontwerp gelijkmatiger wordt. Wees consistent en neem steeds dezelfde draad boven en dezelfde draad onder mee.

Lichtere kleur over donkere kleur slaan

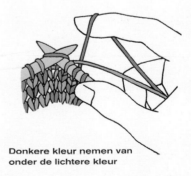

Donkere kleur nemen van onder de lichtere kleur

Als je met meerdere kleuren breit, neem de andere kleur of kleuren dan mee langs de verkeerde kant van het breiwerk. Zorg ervoor dat je de draad niet te strak trekt en brei de draad om de 3 steken mee. Als je een langere tijd met meerdere kleuren moet werken, sla de draad van het garen waar je mee breit dan om de 3 of 4 steken van onderen om de draad die je mee neemt.

DIAGRAM JACQUARDPATROON

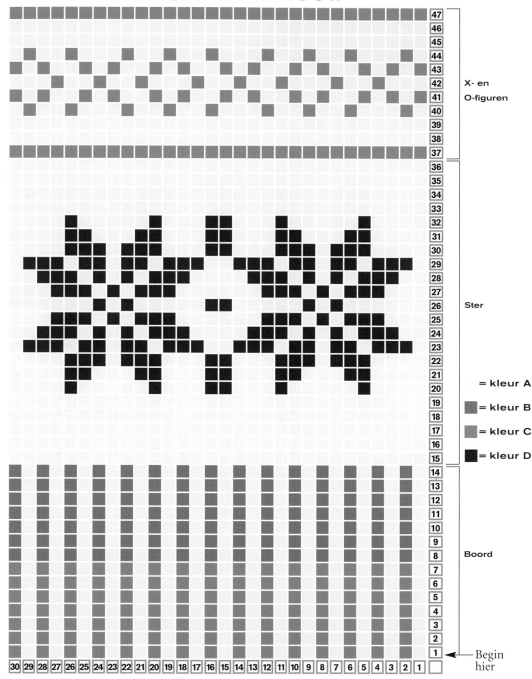

X- en
O-figuren

Ster

☐ = kleur A
■ = kleur B
■ = kleur C
■ = kleur D

Boord

◄— Begin
hier

Ander garen

Castel van Phildar, 65% acryl/25% wol/10% chlorofibre, 50 g/132 m per bol

Lekker knus en warm

Een sjaal met een gat erin! Dat klinkt misschien vreemd, maar het gat heeft een belangrijke functie. Door een uiteinde van de sjaal door het gat te trekken, kunt u de sjaal beter tegen uw hals aan trekken en blijft hij goed op zijn plaats. De sjaal is gebreid in superzacht warm garen waardoor u de winterkoude helemaal zult vergeten.

Afmetingen

25 cm x 120 cm

Voorbeeldmateriaal

Avoriaz van Phildar, 63% alpaca/37% acryl, 100 g/41 m per bol

Breinaalden

Een paar rechte breinaalden nr. 9 *of de maat die nodig is om de opgegeven stekenverhouding te bereiken.*

Stekenproef

8 steken = 10 cm in ribbelsteek. *Neem de tijd om te controleren of je de juiste stekenverhouding hebt bereikt.*

Ander materiaal

Stopnaald met groot oog om losse draden in te stoppen; stekenhouder.

DE SJAAL BREIEN	
Begin	22 steken opzetten.
Naald 1	r. breien tot einde van de naald.
	Naald 1 herhalen (ribbelsteek) tot een lengte van 77,5 cm.
HET GAT MAKEN	
Naald 1	11 steken r. breien en de volgende 11 steken op een stekenhouder zetten.
Naald 2	Alleen met de eerste 11 steken werken. Alle naalden recht breien totdat dit gedeelte een lengte heeft van 82,5 cm. Draad afknippen tot een lengte van 15 cm en dit deel instoppen.
Volgende naalden	De 11 steken van de stekenhouder op een naald zetten en de 11 steken die je net hebt gebreid, op de stekenhouder zetten. Draad aanhechten en draad van 15 cm laten hangen om in te stoppen. Dit gedeelte op dezelfde manier breien tot het ook een lengte heeft van 82,5 cm.
Volgende naald	De 11 steken van de stekenhouder op een lege naald zetten en de twee delen samenvoegen door verder te breien met deze 11 steken.
AFWERKEN	
	In ribbelsteek blijven breien tot de sjaal een lengte heeft van 120 cm.
	Alle steken los afkanten.
	Alle losse draden instoppen met een stopnaald met een groot oog.

Ander garen

Staal 1: Sandra van Phildar, 47% mohair/35% polyamide/18% acryl, 50 g/44 m per bol

Staal 2: Kadischa van Phildar, 30% wol/70% acryl, 50 g/49 m per bol

Staal 3: Midland van Phildar, 72% acryl/28% wol, 50 g/104 m per bol

Lukrake strepen

Deze sjaal in ribbelsteek wordt bijzonder doordat je hem volledig zelf ontwerpt. Het patroon van schuine strepen is verbazingwekkend eenvoudig: om de andere naald sla je de draad om aan het begin van de naald. Vervolgens brei je aan het einde twee rechte steken samen. Je kunt het garen van het voorbeeld gebruiken, maar natuurlijk kun je ook experimenteren met felle kleuren en/of modern garen.

Afmetingen

10 cm x 150 cm

Voorbeeldmateriaal

Beaugency van Phildar, 55% polyamide/
    25% acryl/20% wol, 50 g/82 m per bol

Sport Liane van Phildar, 51% wol/49% acryl,
    50 g/76 m per bol

Cotton Chenille van Rowan, 100% katoen,
    50 g/90 m per bol

Breinaalden

Een paar rechte breinaalden nr. 5,5 *of de maat
die nodig is om de opgegeven stekenverhouding te bereiken.*

Stekenproef

14 steken = 10 cm, 28 naalden = 10 cm in
    ribbelsteek. *Neem de tijd om te controleren
of je de juiste stekenverhouding hebt bereikt.*

Ander materiaal

Stopnaald met groot oog om losse draden in te
stoppen.

DE SJAAL BREIEN	
LET OP	De eerste en tweede naald zijn gebreid in patroonsteek. De hele sjaal in patroonsteek breien en steeds van kleur wisselen om de strepen te creëren (zie 'Lukraak' onderaan de bladzijde). Het is gemakkelijker de losse draden direct in te stoppen tijdens het breien.
BEGIN	20 steken opzetten.
Naald 1	1 r., d.om., 16 r., 2r.st.s., 1 r.
Naald 2	r. breien tot einde naald, naald steeds achteraan insteken bij omslaan.
Volgende naalden	Naalden 1 en 2 herhalen totdat de sjaal een lengte heeft van 150 cm, of tot de naalden gewenste lengte.
AFWERKEN	
	Alle steken los afkanten.
	Alle losse draden instoppen met een stopnaald met groot oog.

Lukraak

De spontane volgorde van de kleuren waarmee deze sjaal is gebreid, zijn het gevolg van lukrake kleurwisselingen. Door in de hele sjaal de nieuwe kleur steeds aan te hechten in het midden van een naald, creëer je een ongelijkmatig effect. Voor de sjaal op de foto is deze kleurenvolgorde gebruikt:

selderijkleur	licht kobaltblauw
citroen	lichtpaars
donker kobaltblauw	pruimkleur
zeeblauw	donkerpaars

Aangezien de naalden schuin worden gebreid, is de sjaal minder breed dan je zou verwachten. Ik was zelfs een beetje verbaasd te zien hoe smal de sjaal was toen hij klaar was. Als je liever een wat bredere sjaal hebt, zet je gewoon wat meer steken op.

Ander garen

Staal 1: Cascade, 220, 100% Peruaanse wol, 100 g/203 m per bol
Matchmaker DK van Jaeger, 100% merinowol, 50 g/120 m per bol
Zen van Berroco, 60% nylon/40% katoen, 50 g/115 m per bol
Nomotta Aurora Color van Schachenmayr, 55% katoen/45% acryl, 50 g/90 m
per bol

Staal 2: Classic Merino Wool van Patons, 100% wol, 100 g/205 m per bol

Staal 3: Castel van Phildar, 65% acryl/25% wol/10% chlorofibre, 50 g/132 m per bol
Nomotta Brazilia van Schachenmayr, 100% polyester, 50 g/90 m per bol
Kid Mohair van Phildar, 70% mohair/30% wol, 50g/113 m per bol
Midland van Phildar, 72% acryl/28% wol, 50 g/104 m per bol
Licorne van Phildar, 100% glanskatoen, 50 g/120 m per bol

Ruiten van mohair

De zigzagranden en het balkenpatroon zorgen ervoor dat deze speelse
sjaal net zo leuk is om te maken als om te dragen.
Elk vierkantje begint met slechts 15 steken. Door om en
om steeds een fors aantal steken te minderen in het midden van
de naald wordt het aantal steken snel teruggebracht tot één,
waardoor een klein vierkantje ontstaat.

Afmetingen

20 cm x 112,5 cm

Voorbeeldmateriaal

Kid Mohair van Phildar, 70% mohair/30% wol,
50g/113 m per bol
kleur A = blauw
kleur B = wit
kleur C = grijs

Breinaalden

Een paar rechte breinaalden nr. 3,75 *of de maat
die nodig is om de opgegeven stekenverhouding te bereiken.*

Stekenproef

Elk patroonvierkant = 5 x 5 cm. *Neem de tijd om
te controleren of je de juiste stekenverhouding
hebt bereikt.*

Ander materiaal

Stopnaald met groot oog om losse draden in te
stoppen.

---

a.k. = andere kleur ◆ **2r.st.s.** = 2 rechte
steken samen breien ◆ **hk** = hoofdkleur
(A) ◆ **ov.** = 1 afgehaalde steek over
rechte steek halen

LET OP	Aangezien deze sjaal modulair wordt gebreid in een aantal vierkantjes, wijken de instructies iets af van die van de andere sjaals. Voor alle vierkanten wordt dezelfde basistechniek gebruikt, maar de vierkanten aan de randen zijn iets anders. Dit geldt ook voor het eerste vierkant. Begin met het breien van de drie basisvierkanten, die de onderste rand vormen.
	Alle minderingen worden gemaakt op de naalden aan de goede kant (zie 'Minderen' voor een beschrijving van de techniek voor '2 rechte steken samen breien' en '1 afgehaalde steek over rechte steek halen').
BEGIN	15 steken opzetten in kleur A.
Naald 1	r. breien tot einde van de naald.
Naald 2	1 afhalen, 5 r., 1 afhalen, 2r.st.s., ov., 5 r., 1 a. Je hebt nu 13 steken op de naald.
Naalden 3, 5, 7, 9, 11, 13	1 afhalen, r. breien tot laatste steek, 1 a.

Minderen

Voor het patroon van deze sjaal gebruik je twee eenvoudige steken om te minderen. Deze voer je na elkaar uit: 1 steek afhalen, 2 rechte steken samen breien (2r.st.s.) en de afgehaalde steek over de rechte steek halen (ov.). Hierdoor maak je een scherpe mindering die niet alleen bepalend is voor de vorm van elk vierkant, maar ook in het vierkant zelf een mooie decoratie geeft met een schuine streep. De minderingslijn loopt van onderen schuin naar de bovenste hoeken toe.

Overhalen **(ov.)** is een veelgebruikte methode om te minderen en werkt als volgt: zet een steek van de linker- op de rechternaald. Steek de naald in de steek alsof je hem gaat breien, maar brei de steek niet. Brei de volgende twee steken samen **(2r.st.s.)** door de naald in beide lussen te steken, alsof je gaat breien. Vervolgens haal je met de linkernaald de afgehaalde steek over de zojuist gebreide steek.

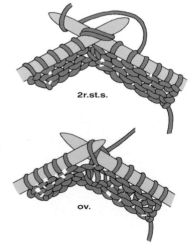

2r.st.s.

ov.

Naald 4	1 afhalen, 4 r., 1 afhalen, 2r.st.s., ov., 4 r., 1 a. Je hebt nu 11 steken op de naald.
Naald 6	1 afhalen, 3 r., 1 afhalen, 2r.st.s., ov., 3 r., 1 a.. Je hebt nu 9 steken op de naald.
Naald 8	1 afhalen, 2 r., 1 afhalen, 2r.st.s., ov., 2 r., 1 a.. Je hebt nu 7 steken op de naald.
Naald 10	1 afhalen, 1 r., 1 afhalen, 2r.st.s., ov., 1 r., 1 a.. Je hebt nu 5 steken op de naald.
Naald 12	1 afhalen, 2r.st.s., ov., 1 a.. Je hebt nu 3 steken op de naald.
Naald 14	1 afhalen, 2r.st.s., ov.
	Draad afknippen tot een lengte van 7,5 cm en deze door de laatste steek trekken.
	Met kleur A nog twee vierkantjes breien op dezelfde wijze. Je hebt nu de vierkanten nrs. 1, 2 en 3 van het diagram op blz. 90 klaar.

DE ONDERSTE VIERKANTJES AAN ELKAAR VASTZETTEN

BEGIN	Leg twee vierkantjes naast elkaar met de hoeken tegen elkaar. De lijn met minderingen loopt verticaal van de onderste hoek naar boven.

Koppen & staarten

beginstaart

Als je deze richting in gedachten houdt, blijf je gemakkelijker op het juiste spoor tijdens het breien: de staart voor het opzetten bevindt zich altijd rechts als je aan de goede kant van de sjaal breit. De staart van de laatste steek bevindt zich altijd bovenaan het vierkant. De lijn die de minderingen aangeeft loopt verticaal van onderen naar de bovenste hoeken.

eindstaart

een ruit

RUITEN VAN MOHAIR

	Met kleur B 8 steken langs de linkerbovenrand van het rechtervierkant oppakken en breien. (LET OP: Zorg dat je de breinaald onder beide lussen van de randsteken insteekt. Door de manier waarop je de eerste en laatste steken van elke naald hebt gebreid, moet je deze gemakkelijk kunnen vinden.)
	Op dezelfde naald 7 steken langs de bovenste rechterrand van het linkervierkant oppakken. Je hebt nu 15 steken op de naald.
	Naalden 1-14 van de beschrijving onder 'Het basisvierkant breien' herhalen. Je hebt nu vierkant nr. 4 klaar.
	Laatste vierkant nemen (vierkant nr. 3) en rechts naast de twee andere vierkantjes leggen. De linkerhoek van vierkant nr. 3 raakt de rechterhoek van Vierkant nr. 2. De lijn met minderingen loopt verticaal van de onderste hoek naar boven.
	Met kleur B 8 steken langs de linkerbovenrand van vierkant nr. 3 oppakken en breien. Vervolgens 7 steken langs de rechterbovenrand van vierkant nr. 2 oppakken. Je hebt nu 15 steken op de naald. Naalden 1-14 van de beschrijving onder 'Het basisvierkant breien' herhalen. Je hebt nu vierkant nr.5 klaar en ook vijf vierkantjes aan elkaar vastgemaakt.
VIERKANTJE LANGS DE RECHTERRAND	
BEGIN	Met kleur C 7 steken opzetten.

Losse draden

Als je eenmaal door hebt hoe je elke nieuwe ruit aan de vorige vastmaakt, is dit patroon vrij eenvoudig. Je krijgt wel een behoorlijk aantal losse draden. Stop de losse draden daarom al in tijdens het breien en wacht niet tot de sjaal klaar is. Pak steeds op het punt waar je een nieuw vierkant begint één van de losse draden op en brei deze mee met de eerste vijf of zes steken van het nieuwe vierkant. Dit kun je alleen doen als je aan de goede kant van het breiwerk bezig bent. De draden waar je niet goed bij kan tijdens het breien, stop je aan het einde in met een grote stopnaald. Let er op dat je alle draden instopt langs de lijn waar de vierkanten aan elkaar vastzitten, dan vallen ze minder op. Aan de verkeerde kant van de sjaal zul je naden zien, maar als je de draden netjes instopt, valt dat uiteindelijk wel mee.

	Op dezelfde naald 8 steken oppakken langs de rechterbovenrand van vierkant nr. 5 (zie het diagram op blz. 90). Je hebt nu 15 steken op de naald.
	Naalden 1-14 onder 'Het basisvierkant breien' herhalen.
VIERKANTJE LANGS DE LINKERRAND BREIEN	
BEGIN	Met kleur C 8 steken oppakken langs de linkerbovenrand van vierkant nr. 4.
	Naald draaien en vanuit hetzelfde punt 7 steken opzetten. Je hebt nu 15 steken op de naald.
	Naalden 1-14 onder 'Het basisvierkant breien' herhalen.
VIERKANTJE IN HET MIDDEN BREIEN	
BEGIN	Met kleur C 7 steken langs de linkerbovenrand van vierkant nr. 5 oppakken, 1 steek oppakken op het punt waar de drie hoeken bij elkaar komen, daarna 7 steken oppakken langs de rechterbovenrand van vierkant nr. 4. Je hebt nu 5 steken op de naald.
	Naalden 1-14 onder 'Het basisvierkant breien' herhalen.
DE SJAAL BREIEN	
	De sjaal verder afbreien. Het diagram op blz. 90 gebruiken voor de juiste kleurenvolgorde.

Korte breinaalden

In dit patroon werk je met hooguit 15 steken tegelijk op je naald. Je mindert snel en haalt om de naald steeds 2 steken af. Aangezien je zo weinig steken gebruikt en de naalden zo vaak moet keren, kun je beter kortere naalden gebruiken. Als je geen paar korte naalden met een doorsnede van 3,75 mm zonder knoppen in je breitas hebt, kun je ook zelf een paar korte breinaalden maken. Zet een naaldbeschermer op een uiteinde van elke naald zodat de steken er niet af vallen. Gebruik ze vervolgens als een paar gewone rechte breinaalden.

DIAGRAM VOOR SJAAL MET RUITEN VAN MOHAIR

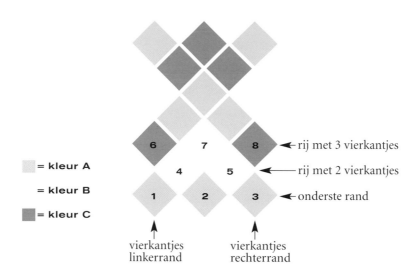

= kleur A

= kleur B

= kleur C

6   7   8   ◄— rij met 3 vierkantjes

4   5   ◄——— rij met 2 vierkantjes

1   2   3   ◄— onderste rand

vierkantjes
linkerrand

vierkantjes
rechterrand

Tips voor succes

• De structuur van deze sjaal bestaat uit elkaar afwisselende rijen van 2 en 3 vier-kantjes. Vierkanten nrs. 4 en 5 vormen een rij met twee vierkantjes, vierkanten nrs. 6, 7 en 8 vormen een rij met drie vierkantjes. Het is minder verwarrend om eerst een hele rij met drie vierkantjes af te maken voordat je aan een nieuwe rij met twee vier-kantjes begint. Gebruik de instructies bij 'Vierkantje langs de rechterrand breien' (blz. 88-89) voor alle vierkantjes langs de rechterrand. Deze zitten alleen aan de bovenkant en de linkeronderkant vast aan de andere vierkantjes. Voor de vierkant-jes langs de linkerrand gebruik je de instructies bij 'Vierkantje langs de linkerrand breien' (blz. 89). Deze zitten alleen aan de bovenkant en rechteronderkant vast aan de andere vierkantjes.

• De lijn met minderingen moet in de hele sjaal van onderen naar boven lopen.

• Als je steken oppakt om een nieuw vierkant te maken, let dan vooral op bij het punt waar vier hoeken samenkomen. De hoeken moeten mooi scherp blijven.

• Stop zo veel mogelijk losse draden in tijdens het breien.

Begrippenlijst

AFKANTEN: Dit is een techniek om de steken van de naald te halen zodanig dat het breiwerk niet gaat rafelen. Een veelgebruikte methode is de volgende: twee steken breien, daarna de eerste steek over de tweede halen en van de naald laten glijden. De volgende steek breien en de tweede steek eroverheen halen. Herhalen totdat alle steken zijn afgekant. Daarna de draad afknippen, door de laatste steek halen en aantrekken.

ASTERISK (*): Instructies tussen asterisken herhalen, vaak over de hele naald. Als je bijvoorbeeld 12 steken op de naald hebt en er staat: "* 2 r., 2 samen breien; herhalen vanaf * tot einde van de naald", moet je deze instructies drie keer herhalen.

DRAAD (STAART): Het draadje dat overblijft nadat je de steken hebt opgezet of nadat je ze hebt afgekant. Je kunt de draad gebruiken om het breiwerk aan elkaar te zetten. Stop de draden in aan de binnenkant van het breiwerk.

GERSTEKORRELSTEEK: Met deze steek creëer je een mooie weefselstructuur. Je werkt met een oneven aantal steken: 1 recht, 1 averecht tot aan het einde van elke naald. Je breit elke rechte steek van de vorige naald recht en elke averechte steek van de vorige naald averecht.

HAAKJES: Deze werken op dezelfde manier als de asterisken. Ze geven een korte serie van instructies aan die valt binnen een langere serie instructies die ook wordt herhaald.

INSTOPPEN: Steek de draad door een stopnaald en rijg de draad door een paar steken aan de verkeerde kant van het breiwerk. Je moet de draad altijd horizontaal langs een aantal steken instoppen en ervoor zorgen dat je de draad aan de goede kant van het breiwerk niet ziet. Na vijf of zes steken keren en nog twee of drie steken rijgen om de draad goed vast te zetten. De rest van de draad afknippen.

JACQUARDBREIEN: Met jacquard-breien maak je patronen waarbij je meerdere kleuren in een naald gebruikt. In de meeste traditionele patronen werk je met twee kleuren in een naald. De kleurenvolgorde wordt aangegeven op een diagram, waarbij elke steek is vervangen door een vierkantje in een bepaalde kleur. Volg het diagram regel voor regel en begin rechts onderaan.

MINDEREN: Door te minderen breng je het totale aantal steken omlaag. In dit boek minder je door twee rechte steken samen te breien (2r.st.s.) of door een steek af te halen, de volgende steek te breien, en de afgehaalde steek over de gebreide steek te halen (ov.).

NAALD: Alle steken die je op een rechte naald breit voordat je van naald verwisselt.

NAALDEN MET TWEE UITEINDEN: Deze naalden kun je gebruiken om rond te breien of voor gewoon plat breiwerk. In dit boek worden ze alleen gebruikt voor plat breiwerk. Het zijn twee naalden met een rubberen dop.

NIEUW GAREN AANHECHTEN: Elke breister heeft een favoriete manier om een draad aan te hechten, bijvoorbeeld bij het van kleur veranderen voor de strepen in een jacquardpatroon of bij het aanhechten van een nieuwe bol. Wij bevelen aan om de nieuwe draad aan de verkeerde kant van het breiwerk mee te breien in de laatste zes of zeven steken van de vorige naald, door de draad onder het oude garen mee te nemen. Als je dan van draad wisselt, laat je een stuk van de oude draad van 7,5 cm hangen die je op dezelfde manier kunt meenemen.

OMSLAAN: De draad helemaal om de naald slaan voordat je de volgende steek breit.

OPZETTEN: Met een lange draad kun je de steken stevig maar niet te strak opzetten. Schat de lengte van de draad in die je nodig denkt te hebben voor het aantal steken, door de draad eenmaal om de naald te slaan voor elke steek die je moet opzetten. Maak een lus en schuif deze over de breinaald. Houd de naald in je rechterhand. Leg het losse uiteinde van de draad over de duim en de werkdraad over de wijsvinger van je linkerhand. Steek de naald onder de voorlus van de draad over je duim. Beweeg de naald met de draad achter de werkdraad om je wijsvinger. Met de naald trek je de werkdraad door de lus om je duim. Vervolgens laat je de lus los. Plaats je duim onder de losse draad en trek de draden naar je toe, terwijl je ze stevig vasthoudt.

PERSEN: Er zijn verschillende manieren om te voorkomen dat een sjaal naar binnen krult. Wollen sjaals kun je vastspelden in de gewenste afmeting en er een stoomstrijkijzer boven houden. Je kunt ook een natte handdoek over de sjaal leggen en vervolgens met een strijkijzer lichtjes op de handdoek drukken, net genoeg tot er stoom in de wol komt. Nooit hard drukken of het strijkijzer heen en weer bewegen, anders worden de steken plat en gaat het patroon verloren. Breiwerk in gemêleerde wol, mohair, angora, alpaca of kasjmier moet je licht besprenkelen met water en op een vlakke ondergrond vastspelden waar het aan de lucht kan drogen.

RIBBELSTEEK: Een eenvoudige steek, waarbij elke naald recht wordt gebreid. Een steek die heel geschikt is voor beginnende breisters.

RONDBREINAALDEN: Deze kun je gebruiken voor gewoon plat breien of voor rond breien. Rondbreinaalden bestaan uit een paar korte rechte naalden die met een beweeglijk nylon of plastic touw in het midden aan elkaar zijn vastgemaakt. Let er steeds op dat het verbindingsstuk tussen de naald en het touw soepel genoeg is.

STEKEN OPPAKKEN: Steek de punt van de linkernaald in een bestaande lus. Brei deze lus als een steek.

STEKENHOUDERS: Deze gebruik je om ervoor te zorgen dat de steken niet van de naald afglijden. Je kunt ook gewone veiligheidsspelden gebruiken.

TRICOTSTEEK: Deze steek krijg je als je alle steken aan de goede kant van het breiwerk recht breit en alle steken aan de verkeerde kant van het breiwerk averecht.

Kantsteekpatroon (op blz. 17)

Naald 1: (verkeerde kant) averecht tot einde van de naald.

Naald 2: 1 r., *d.om., 3 r., 1 afhalen, 2r.st.s., ov., 3 r., d.om., 1 r.; herhalen vanaf * tot einde van de naald.

Naald 3: averecht tot einde van de naald.

Naald 4: 1 a., *1 r., d.om., 2 r., 1 afhalen, 2r.st.s., ov., 2 r., d.om., 1 r., 1 a.; herhalen vanaf *tot einde van de naald.

Naald 5: 1 r., *9 a., 1 r.; herhalen vanaf * tot einde van de naald.

Naald 6: 1 a., *2 r., d.om., 1 r., 1 afhalen, 2r.st.s., ov., 1 r., d.om., 2 r., 1 a.; herhalen vanaf * tot einde van de naald.

Naald 7: instructies naald 5 volgen.

Naald 8: 1 a., *3 r., d.om., 1 afhalen, 2r.st.s., ov., d.om., 3 r., 1 a.; herhalen vanaf * tot einde van de naald.

Deze 8 naalden herhalen voor het patroon.

Dankbetuiging

Veel dank aan

Het team van (test)breisters dat mij heeft geholpen bij het ontwerpen van de patronen in dit boek: Joyce Nordstrom voor al haar uitstekende breiwerken en omdat ze nooit nee zegt als ik iets snel wil afmaken. Amy Hsu en Dawn Holton, voor hun 'vliegende breinaalden' en Diana Foster voor het testen van alle patronen.

Mijn gezin: mijn dochter Heather, voor het altijd willen luisteren en het breien van sjaals, mijn man Tom, wiens liefde en begrip dit alles mogelijk heeft gemaakt, mijn moeder Jean, zonder wie ik niet zo creatief zou zijn geweest, en mijn zus Rajeana voor haar goede vriendschap.

Ik wil ook Christina Stork Launer van Article Pract bedanken, Wendy Scofield voor de stilering van de sjaals voor de fotosessie. Dankzij hen is dit zo'n leuk project geworden.

Register

De paginanummers van kaders zijn **vet** gedrukt;
de paginanummers van foto's en illustraties zijn *schuin* gedrukt.

Original title: *Knit Scarves!*
© MMV by Candi Jensen
Originally published in the Unites States by Storey Publishing, LLC.
Photographs: Kevin Kennefick.
Illustrations: Alison Kolesar.
All rights reserved.
© Zuidnederlandse Uitgeverij N.V., Aartselaar, België, MMVII.
Alle rechten voorbehouden.
Deze uitgave door: Deltas, België-Nederland.
Gedrukt in België.

D-MMVII-0001-270
NUR 474